당신의 영어를 Upgrade 하는

1000 개의 표현들(1 권)

당신의 영어를 Upgrade하는 1000개의 표현들(1권)

발 행 | 2024년 7월 26일
저 자 | 옴니버스 잉글리쉬
펴낸이 | 한건희
펴낸곳 | 주식회사 부크크
출판사등록 | 2014.07.15(제2014-16호)
주 소 | 서울특별시 금천구 가산디지털1로 119 SK트윈타워 A동 305호
전 화 | 1670-8316
이메일 | info@bookk.co.kr

ISBN | 979-11-410-9687-8

www.bookk.co.kr

당신의 영어를 Upgrade하는 1000개의 표현들(1권)

옴니버스 잉글리쉬 지음

들어가는말

우리가 이제까지 학교에서, 학원에서, 그리고 집에서 계속 영어를 공부하여 왔지만 그 주된 목적은 주로 **시험을 잘 치기 위해서** 였습니다. 그러므로 영어 자체의 아름다움과 격조를 느끼면서, 그 깊고 넓은 세계로 차츰차츰 들어가지 않고, 언제나 다른 목적을 위한 수단으로서 영어를 피상적으로 접하기에 정작 그간 공부했던 영어 를 잘 활용해야 할 상황이오면, 그저 뒷걸음 쳐서 주위의 영어 잘한다는 사람뒤에 숨게됩니다.

여러분의 영어공부방법의 가장 큰 문제는, **우리말로 표현되는 것을 영어로 어떻게 제대로 옮길까 고민하는 것에서부터 시작**하지 않고 영어문장들을 한국말로 해석할수 있으면 거기에서 끝나 버리 는데 있습니다.

그러므로 오늘부터 이 책을 통해서, 이제는 먼저 **한국말 표현부터 보고, 이것을 어떻게 영어로 잘 옮길것인지** 생각해본 후에 답을 맞추지 못했다면, 해당 문장을 통채로 외우면서 공부해 보기 바랍니다. 이러한 과정을 통해서 이제까지 자신이 얼마나 **영어 본연의 표현방식**을 제대로 알지 못하면서 영어를 공부한다고 생각하고 있었는지 깨닫게 될 것입니다.

이 책은 **영자신문 및 잡지, 인문학 원서로부터 영화에까지 영어가 쓰이는 다양한 소스**들을 참고하여 유용한 표현들을 모아놓았습니다. 하루하루 10개씩의 표현들을 이해하고 소화하면 100일 후에는 한차원 발전된 영어를 구사할 수 있을 것입니다.

< 이책의 구성과 공부방법 >

이 책은 모두 하루 10개씩 문장을 총 100일간 공부하여 완료하도록 구성되어 있습니다. 먼저 한국말이 제시되고 이후 해당되는 영어 문장이 나오며, 관련되는 표현설명이 주어집니다. 문장중 익히고자 하는 주요 표현은 굵게 표시하였습니다. 그러나 구분된 표현뿐 아니라 그것이 들어간 전체 문장을 이해하고 암기토록 해보기 바랍니다. 왜냐하면 문장안에 주요 표현외에도 유용한 다른 표현법들도 숨어있기 때문입니다. 하루하루 꾸준히 공부하면 영어구사력의 큰 변화를 경험할 것입니다.

제**1**일차 ◆ 공부하는 일수(100일까지)

먼저 우리말을 읽고 영어표현을 생각해보세요.

1. 경제가 지금처럼 **좋은 상태**였던 적은 없다. ◆ 한국어문장.

Never has the economy been **in** such **good shape**. ◆ 관련 영어문장.

* in good shape : 좋은 상태인. ◆ 주요 영어표현 설명.

2. 당신은 **칭찬**받을 만하다. ◆ 다음 한국어문장.(하루 10 개까지)

제1일차

먼저 우리말을 읽고 영어표현을 생각해보세요.

1. 경제가 지금처럼 **좋은 상태**였던 적은 없다.

Never has the economy been **in** such **good shape**.

* in good shape : 좋은 상태인.

2. 당신은 **칭찬**받을 만하다.

You deserve the **credit**.

* credit : 업적에 대한 인정, 칭찬.

3. 그는 밀수를 **뿌리뽑는** 역할을 맡아야 한다.

He should take on the role of **rooting out** smuggling.

* root out : 뿌리뽑다.

4. 낡은 규제가 아직도 그들**의 발목을 잡고있다**.

Out-of-date regulation is still **holding** them **back**.

* hold back : ~이 성공하지 못하게 막다.

5. 그들은 남은시간**을 최대한 활용**해야 한다.

They must **make the most of** the remaining time.

* make the most of : ~을 최대한 활용하다.

6. 경찰청장은 대테러 노력**을 강화할** 것을 맹세했다.

Police chief pledged to **step up** anti-terrorism efforts.

* step up : ~ 활동을 강화하다.

7. **일을 되게하는** 댓가로 보수가 주어져야 했다.

People should have been paid for **getting things done**.

* get things done : ~을 완료하다, 되게하다.

8. 중년의 여성들은 나이먹는것**을 초조해한다**.

Middle-aged women **fret about** their age.

* fret about : ~에 대해 초조해하다.

9. 그는 나의 제안**을** 비현실적인 것**으로 일축했다**.

He **dismissed** my proposal **as** unrealistic.

* dismiss A as B : A를 B인것으로 일축하다, 무시하다.

10. 나에게는 오직 한가지 선택만**이 남았다**.

I am **left with** only one choice.

* left with : ~과 함께 남다.

제2일차

먼저 우리말을 읽고 영어표현을 생각해보세요.

1. 그들은 그에**대해 판단한** 후 바로 행동에 옮겼다.

They **sized** him **up** and acted right away.

* size up : ~에 대해 평가하다, 판단하다.

2. 그것들은 **서로 상쇄효과를 가진다**.

They **balance one another**.

* balance each other : 서로 상쇄하다, 균형을 잡다.

3. 그 공격은 고조되는 위기**의 신호이다**.

The attack **signals** an escalating crisis.

* signal : ~의 신호이다.

4. 그는 그들에게 **놀림을 받았다**.

He was **ridiculed** by them.

* ridicule : ~를 놀리다.

5. 좋지 않은 날씨는 와인생산자들에게 재난**을 불러온다**.

The bad weather **spells** disaster for wine producers.

* spell : 나쁜일을 일으키다.

6. 미국은 환경문제**를 제기한다**.

The United States **brings up** environmental issues.

* bring up : ~안건을 제기하다.

7. 일본은 그 협정**에서 탈퇴**할 것이다.

Japan will **pull out of** the accord.

* pull out of : 탈퇴하다.

8. 너를 공격한 그들**에게 복수하려**고 하지마라.

Don't try to **get even with** those who attacked you.

* get even with : ~에게 복수하다.

9. 그것은 추락의 원인**에 대해 실마리를 던져**줄 것이다.

It will **shed light on** the cause of the crash.

* shed light on : ~에 대해 실마리를 던지다.

10. 연속적인 패배이후 선수들의 사기는 **감퇴하였다**.

The player's morale **declined** after successive defeats.

* decline : 줄어들다,하락하다.

제3일차

먼저 우리말을 읽고 영어표현을 생각해보세요.

1. 야당은 탄핵**을 밀어부칠**것이다.

The opposition will **push ahead with** impeachment.

* push ahead with : ~을 강하게 추진하다.

2. 경제학자들은 소득**을** 구매력**과 동일시한다**.

Economists **equate** income **with** purchasing power.

* equate A with B : A를 B와 동일시하다.

3. 역사는 그 주장**이 틀렸다는 것을 입증했다**.

History **disproved** the claim.

* disprove : ~을 반증하다, 틀리다는것을 입증하다.

4. 평등주의는 많은 사회적인 진보**를 추동했다**.

Egalitarianism has **driven** much of the social progress.

* drive : ~을 추동하다, 추진하다.

5. 나는 정치학을 그만두고 철학**으로 전환했다**.

I abandoned politics and **switched to** philosophy.

* switch to : ~으로 전환하다.

6. 미국은 러시아**와 평화롭게 지내고** 있다.

America is **at peace with** Russia.

* at peace with : ~과 평화롭게 지내다.

7. 모두가 **나에게서 등을 돌렸다**.

Everybody **turned away from** me.

* turn away from : ~에게서 등을 돌리다.

8. 그 부족민들은 현재 아직도 이러한 믿음**을 고수하고** 있다.

The tribesmen today still **hold to** this belief.

* hold to : ~을 고수하다.

9. 그녀는 정말로 **자수성가한** 억만장자다.

She is a **self-made** billionaire indeed.

* self-made : 자수성가한

10. 그 경기는 우리팀의 결함**을 예증하였다**.

The match **illustrated** the deficiency of our team.

* illustrates : ~을 예시하다, 예증하다.

제4일차

먼저 우리말을 읽고 영어표현을 생각해보세요.

1. 나는 학교시절부터 그 문제에 **사로잡혀** 있었다.

The question has **obsessed** me since my school years.

* obsess : ~을 사로잡다.

2. 지성은 완고함**에 반비례한다**.

Intelligence is **inversely proportional to** stubbornness.

* inversely proportional to : ~에 반비례하는.

3. 그녀의 말은 작년에 일어난 일**을 생각나게 하였다**.

Her words **brought to mind** what happened last year.

* bring to mind : ~을 생각나게하다.

4. 새롭게 선출된 대통령이 **정권을 잡았다**.

A newly elected president **came to power**.

* come to power : 정권을 잡다.

5. 그 선생님은 분노**를 가라앉혔다**.

The teacher **brought down** his wrath.

* bring down : ~을 낮추다, 가라앉히다.

6. 범인은 아직 **잡히고 있지 않다**.

The culprit is still **at large**.

* at large : 잡히고 있지 않은.

7. 그는 시스템을 정비하겠다는 그의 **약속을 이행했다**.

He **acted on** his **promise** to overhaul the system.

* act on promise : 약속을 지키다.

8. 경찰은 폭력문제**를 해결해**야 한다.

The police must **sort out** the problem of violence.

* sort out : 해결하다.

9. 한국은 세계경제위기에 **큰 타격을 받았다**.

Korea was **hit hard** by the world economic crisis.

* hit hard : 크게 타격을 받다.

10. 북한은 **돌이킬수 없는 지점**을 지나지는 않았다.

North Korea has not passed the **point of no return**.

* point of no return : 돌이킬수 없는 지점.

제5일차

먼저 우리말을 읽고 영어표현을 생각해보세요.

1. 그 회사는 공적인 압력**에 굴복하였다**.

The company **bowed to** public pressure.

* bow to : ~의 요구에 굴복하다.

2. 북한의 배가 이집트 해상에서 **나포되었다**.

A North Korean ship was **seized** off Egypt.

* seize : ~을 탈취하다, 나포하다.

3. 그녀의 블로그가 **입소문을 타고 퍼진** 후에 그녀는 유명해졌다.

She became famous after her blog **went viral**.

* go viral : 입소문을 타고 퍼지다.

4. 그 짐을 **짊어지는** 것은 주로 남자다.

It is men who mainly **shoulder** the burden.

* shoulder : ~을 짊어지다.

5. 너는 내말**을 왜곡하였다**.

You've **twisted** my words.

* twist : ~을 왜곡하다.

6. 경찰은 폭죽**을 단속하고** 있다.

The police are **cracking down on** firecrackers.

* crack down on : ~을 단속하다.

7. 베네주엘라는 국가부도 가능성**에 가까워지고 있다**.

Venezuela **edges** closer **to** default.

* edge to : ~로 천천히 움직여가다.

8. 중국은 세계를 자신의 이해관계**에 맞도록** 만들길 원한다.

China wants to shape the world to **suit** its interests.

* suit : ~에 맞다,적합하다.

9. 언론은 현재의 중요한 문제거리들**에 대해 관여한다**.

Journalism **engages with** the critical issues of today.

* engage with : ~에 관여하다.

10. 그는 6달러**에 상당하는** 돈을 일당으로 받는다.

He is paid the **equivalent of** $6 a day.

* equivalent of : ~에 상당하는.

제6일차

먼저 우리말을 읽고 영어표현을 생각해보세요.

1. 그 정책을 반대하는것은 **선거공약을 뒤엎는** 것이다.

Opposing the policy is **reversing the campaign pledge**.

* reverse campaign pledge : 선거공약을 뒤엎다.

2. 노동자들은 더 높은 임금**을 계속해서 요구하고** 있다.

Laborers are **pressing their case for** higher wages.

* press one's case for : 계속해서, 반복하여 요구하다.

3. 우리는 고객들로부터 **협박**전화를 받았다.

We have received **menacing** calls from customers.

* menacing : 위협하는, 협박하는.

4. 그는 적대적인 그의 이웃들**과 담을 쌓고** 지냈다.

He **walled** himself **off** from his hostile neighbors.

* wall A off B : A과 B를 벽을 쌓고 분리시키다.

5. 희생자들은 증인들이 **나서줄** 것을 요청했다.

The victims have asked for witnesses to **come forward**.

* come forward : 앞으로 나서다.

6. 많은 고용주들은 경험**보다** 태도**를 더 중시한다**.

Many employers **value** attitude **above** experience.

* value A above B : B보다 A를 더 중요하게 생각하다.

7. 그 집단의 누구도 **의심에서 자유롭지** 못했다.

Everybody in the group was not **above suspicion**.

* above suspicion : 의심받지 않는.

8. 리더쉽**의 가장 중요한 점은** 팀을 단합하게 하는것이다.

Leadership **is all about** getting your team to unite.

* A is all about B : A의 가장 중요한 점은 B이다.

9. 그녀는 다소 **정신이 딴곳에 팔려있는** 상태다.

She has been getting rather **absent-minded**.

* absent minded : 정신이 딴데 팔려있는.

10. 당신은 모든 책임**에서 면제될** 수는 없다.

You can not be **absolved of** all responsibility.

* absolved of : ~에서 면제되다.

제7일차

먼저 우리말을 읽고 영어표현을 생각해보세요.

1. 이러한 교수방식이 1920년대에 **받아들여졌다**.

This teaching style **gained acceptance** in the 1920s.

* gain acceptance : 받아들여지다, 수용되다.

2. 그의 작품은 예술평론가들의 **찬사를 받았다**.

His work was **acclaimed** by art critics.

* acclaim : ~를 환호하다. 격찬하다.

3. 인공지능은 모두의 일을 **빼앗고**, 선택된 소수에게 혜택을 줄것이다.

AI will **take** everyone's jobs, benefiting a select few.

* take : ~를 빼앗다,제거하다.

4. 우리는 가능한 모든 방법으로 당신을 도울 **준비가 되어있다**.

We **stand ready to** help you in any way we can.

* stand ready to : ~할 준비가 되어있다.

5. 제한조치는 1년**동안 지속될** 수도 있다.

Restrictions could **last** a year.

* last : ~동안 지속되다.

6. 그들중 아무도 **조금의 양보도 하려**고 하지 않는것 같았다.

Neither of them appeared willing to **give an inch**.

* give an inch : 조금의 양보를 하다.

7. 당신의 증상이 **사라지지** 않는다면, 의사를 찾아라.

If your symptoms don't **go away**, contact a doctor.

* go away : 사라지다.

8. 그 계획은 바로 **실행되어**야 한다.

The plan should be **put into practice** at once.

* put into practice : ~를 실행에 옮기다.

9. 엄격한 보안규약이 **작동되고** 있었다.

Strict security protocols were **put in place**.

* put in place : ~을 구축하고 작동시키다.

10. 너는 집안배경의 힘으로 **앞서간** 것이다.

You **got ahead** because of your family background.

* get ahead : 앞서나가다.

제8일차

먼저 우리말을 읽고 영어표현을 생각해보세요.

1. **꿈에도** 나는 이것을 기대하지 **않았다**.

Never in my wildest dreams did I expect this.

* never in my wildest dreams : 꿈에도 ~아닌

2. 정부는 죄수들**을 사면하였다**.

The government **granted an amnesty to** the prisoners.

* grant an amnesty to : ~를 사면하다.

3. 그는 득과 실**을 저울질하고** 있다.

He is **weighing** gains against losses.

* weigh : 저울질하다, 신중히 고려하다.

4. 당신은 **경계를 늦추지 않아**야 한다.

You should **remain vigilant**.

* remain vigilant : 경계상태를 유지하다.

5. 그들은 음식을 절박하게 **필요로 한다**.

They are **in** dire **need of** food.

* in need of : ~이 필요한.

6. 그들은 위협을 최소화**하기 위해서 무엇이든지 할**것이다.

They will **do whatever it takes** to minimize the threat.

* do whatever it takes to : ~을 위하여 무엇이든지 하다.

7. 정부는 전국에 **통행금지를 실시했다**.

The government **imposed a** nationwide **curfew**.

* impose a curfew : 통행금지를 실시하다.

8. 공급자들은 수요**를 맞추려고** 시도하고있다.

Providers are trying to **keep up with** demand.

* keep up with : ~을 따라잡다.

9. **주의를** 다른 나라로 **돌려**보자.

Let's **turn** our **attention to** other countries.

* turn attention to : 주의를 ~로 돌리다.

10. 그는 코로나 바이러스**에 감염되었다**.

He **contracted** the corona virus.

* contract : ~에 감염되다, 병에 걸리다.

제9일차

먼저 우리말을 읽고 영어표현을 생각해보세요.

1. 고아들은 지속적으로 **버림받은** 것처럼 느낀다.
Orphans feel like constantly being **abandoned.**
* abandoned : 내버려지다, 버림받다.

2. 중요하지 않은 이슈들이 큰 **관심을 끄는** 경향이 있다.
Unimportant issues tend to **attract** big **attention.**
* attract attention : 관심을 끌다.

3. 그는 **자가격리에 들어갔다.**
He has **gone into self-isolation.**
* go into self isolation : 자가격리에 들어가다

4. 사람은 증상없이 남들**에게** 바이러스를 **옮길** 수 있다.
One can **pass on** viruses **to** others without symptoms.
* pass on A to B : A를 B에게 전달하다.

5. 나는 **당혹스럽게도** 동성연애자라는 것을 인정해야 **했다**.

I was **embarrassed to** admit that I am homosexual.

* embarrassed to : 당혹스럽게도 ~하다.

6. 그는 여성해방운동의 선전**에 대해서 마음이 편하지 못했다**.

He was **not comfortable with** feminist propaganda.

* not comfortable with : ~에 대해 마음이 편하지 않은.

7. 그러한 상황은 그를 **한계상태**로 몰고갈것이다.

The situation will put him into a **breaking point**.

* breaking point : 더이상 견디기 힘든 한계점.

8. 나는 매우 어린나이에 담배**에 중독되었다**.

I was **hooked on** smoking at a very early age.

* hooked on : ~에 중독되다.

9. 준비는 당신이 **앞서나갈** 수 있게 한다.

Preparation can let you **get a head start**.

* get a head start : 앞선, 유리한 시작을 하다.

10. **증대되는** 비판에도 불구하고, 그들은 사과하지 않았다.

Despite **mounting** criticism, they did not apologize.

* mounting : 증대되는.

제10일차

먼저 우리말을 읽고 영어표현을 생각해보세요.

1. 사회적 거리두기는 아직도 **효력을 유지해**야 한다.

Social distancing should be still **in force**.

* in force : 효력이 있는.

2. 중국은 가혹한 한국**때리기**를 계속 하고 있다.

China's South Korea-**bashing** remains harsh.

* A-bashing : A 때리기.

3. 그의 장점은 많은 단점들**에 가리워졌다**.

His merit was **overshadowed by** many shortcomings.

* overshadowed by : ~에 의해 가려지다.

4. 그는 어렸을때 **무관심에 방치되었다**.

He was **left unattended** over his early years.

* left unattended : 무관심에 방치되다.

5. 나는 학급에서 **마음이 통하는** 친구들을 발견했다.

I found **like-minded** friends in the class.

* like-minded : 마음이 통하는.

6. 너의 나이에서는 아직 **아무것도 결정된것이 없다**.

At your age, everything is still **up in the air**.

* up in the air : 미결정상태의.

7. 자살**에 찌든** 사회에게 희망은 없다.

A suicide-**ridden** society is hopeless.

* A-ridden : A에 찌든.

8. 나는 학교생활을 꽤나 **잘해내었다**.

I **fared** quite **well** in school.

* fare well : 잘 해내다, 잘 되다.

9. 맥주는 전체매출의 40%**를 차지한다**.

Beers **account for** 40 percent of total sales.

* account for : ~ 만큼의 비중을 차지하다.

10. 그것은 영하의 기온에서도 **견디도록** 설계되었다.

It was designed to **withstand** freezing temperatures.

* withstand : ~를 견디다.

제11일차

먼저 우리말을 읽고 영어표현을 생각해보세요.

1. 그 나라는 물 부족에 **대비하고** 있다.

The country is **bracing for** a shortage of water.

* brace for : ~에 대비하다.

2. 우리는 기후변화에 대한 **의식을 고취**하려고 한다.

We aim to **raise awareness** about climate change.

* raises awareness : 의식을 고취하다.

3. 희망이 **사라지고** 있다.

Hopes are **fading**.

* fade : 흐려지다, 사라지다.

4. 위기로 **인해** 사람들이 지갑을 열지 **못하고 있다**.

Crisis **deters** people **from** loosening purse strings.

* deter A from B : A로 하여금 B를 못하게 방해하다.

5. 수천명의 여행자들이 공항에 **발이 묶여있다.**

Thousands of travelers are **stranded** at the airport.

* stranded : 발이 묶이다.

6. **하루가 멀다하고** 범죄뉴스를 듣**게된다.**

Hardly a day goes by without the news of crimes.

* Hardly a day goes by without : **하루가 멀다하고 ~이 벌어지다.**

7. 그 이야기는 전적으로 사기**를 은폐하려**는 목적으로 설계되었다.

The story was all designed to **cover up** the fraud.

* cover up : 은폐하다

8. 우리는 작지만 **확실한** 성과를 선호한다.

We prefer small but **certain** outcomes.

* certain : 확실한.

9. 그 이론은 후속연구들에 의해서 **뒷받침되었다.**

The theory was **reinforced** by subsequent studies.

* reinforce : 이론이나 주장을 강화하다.

10. 왕은 언론**을** 자신의 **통제하에 두려고** 시도했다.

The king tried to **bring** the media **under** his **control.**

* bring A under control : A를 통제하에 두다.

제12일차

먼저 우리말을 읽고 영어표현을 생각해보세요.

1. 암정복이 **가까워졌다.**

A cure for cancer is **within** our **reach.**

* within reach : 손이 미치는 영역에, 가능한 영역에.

2. 그것은 **정반대**이다.

It is **the other way around.**

* the other way around : 정반대인.

3. 당신이 음악**에 몰두해 있다**면 내말을 듣지 못한다.

If you are **engrossed in** music, you don't hear me.

* engrossed in : ~에 몰두하다, 빠져있다.

4. 그들은 이웃들간의 평화를 **추구한다.**

They **seek to** make peace between neighbors.

* seek to : ~을 추구하다.

5. 그녀의 책은 젊은독자들**의 심금을 울린다**.

Her book **strikes a chord with** young readers.

* strike a chord with : ~의 심금을 울리다.

6. 전쟁은 오직 **최후의 수단으로서**만 이용되어야 한다.

Waging war should be used only **in the last resort**.

* in the last resort : 최후의 수단으로서.

7. **그동안** 그들은 전면전을 준비했다.

In the meantime, they prepared for an all-out war.

* in the meantime : 그동안, 그사이에.

8. 분쟁**의 결과로** 새로운 국가들이 생겨났다.

In the wake of the conflict, new states emerged.

* in the wake of : ~의 결과로.

9. 나는 그의 무죄를 **확신한다**.

I am **convinced of** his innocence.

* convinced of : ~을 확신하다.

10. 이론은 경험적인 자료를 **해명해준다**.

Theory **illuminates** empirical data.

* illuminate : ~을 해명해주다.

제13일차

먼저 우리말을 읽고 영어표현을 생각해보세요.

1. 그는 새로운 소설에 그의 경험**을 활용한다**.

He **draws on** his experience for a new novel.

* draw on : ~을 자원으로 활용하다.

2. 사회학은 사회에 대한 이해**를 심화시킨다**.

Sociology **deepens** understanding of society.

* deepen : ~을 깊게하다, 심화하다.

3. 그들의 나이**를 감안하면**, 놀라운 일이 아니다.

Given their age, it's not surprising.

* given : ~을 고려하면, 감안하면.

4. 이 장은 성평등 이슈들**을 다루고 있다**.

This chapter is **concerned with** gender issues.

* concerned with : ~에 대한 것을 다루는.

5. 우리의 개인적인 세계관**으로부터 한발짝 뒤로 물러나세요.**

Take a step back from our personal world view.

* take a step back from : ~로부터 한발짝 물러나다.

6. 그는 지난 월요일에 **공개적으로 모습을 드러냈다.**

He **made a public appearance** last Monday.

* make a public appearance : 공개적으로 모습을 드러내다.

7. 혜택이 부작용의 위험**보다 크다.**

The benefits **outweigh** the risk of side effects.

* outweigh : ~보다 우세하다.

8. 현대사회는 끊임없는 변화**가 두드러진다.**

Modern society is **marked by** constant change.

* marked by : ~이 두드러진

9. 이 견해는 너무도 **자명해** 보인다.

This view seems so **self-evident.**

* self-evident : 자명한.

10. 사랑에 빠진다는것이 결혼**과** 거의 **관련되지** 않는다.

Falling in love is rarely **associated with** marriage.

* associated with : ~과 관련되다.

제14일차

먼저 우리말을 읽고 영어표현을 생각해보세요.

1. 그들의 이해관계는 그 전쟁**과 긴밀히 연결되어 있다.**

The interests were **bound up with** the war.

* bound up with : ~과 긴밀하게 연결되다.

2. 그 후보자는 민감한 질문들**을 회피하였다.**

The candidate **dodged** sensitive questions.

* dodge : 회피하다.

3. 오염은 도시지역**에 한정되지** 않는다.

The pollution isn't **confined to** urban areas.

* confined to : ~에 한정되는.

4. 현재 실업률은 **사상 최고**이다.

Today, the unemployment rate is **at all time high.**

* at all time high : 사상최고인.

5. **많은점에서** 우정이 사랑보다 낳다.

In many respects, friendship is better than love.

* in many respects : 많은 점에서.

6. 운동을 하지 않으면 심각한 **결과를 초래할** 수 있다.

No exercise can **have** serious **consequences**.

* have a consequence : 결과를 초래하다.

7. 그는 담배판매상으로 **생계를 꾸려나가고** 있었다.

He was **gaining his livelihood** as a cigarette vendor.

* gain one's livelihood : 생계를 꾸리다.

8. 그 일은 많은 여행**을 동반한다**.

The job **involves** a lot of traveling.

* involve : ~을 포함하다, 연루시키다.

9. 새로운 규정이 다음주부터 **실행된다**.

The new regulations **come into force** next week.

* come into force : 법, 규정등이 실행되다.

10. CRM은 고객관계관리**를 지칭한다**.

CRM **refers to** customer relationship management.

* refer to : ~을 지칭하다.

제15일차

먼저 우리말을 읽고 영어표현을 생각해보세요.

1. 그녀의 말은 표정**과 대비된다**.

Her words **contrast with** her facial expression.

* contrast with : ~과 대비되다.

2. 그 건물은 18세기 궁전**을 모델로 하여** 지어졌다.

The building is **modeled on** an 18th-century palace.

* modeled on : ~을 모델로 하다.

3. 이지역은 다른 지역**에 비해 뒤처져 있다**.

This region **lags behind** the rest of the world.

* lag behind : ~에 뒤처지다.

4. 그것은 매우 **놀라운** 영화다.

It is a **jaw-dropping** movie.

* jaw-dropping : 매우 놀라운.

5. 결과를 받을때까지, 그들은 **불확실한 상태에** 머무를 것이다.

Until getting the results, they will remain **in limbo**.

* in limbo : 이도저도 아닌, 불확실한 상태의.

6. 엔진이 **서서히 멈추었다**.

The engine **ground to a halt**.

* grind to a halt : 서서히 멈추다.

7. 아이들은 **스스로를 돌볼** 수 없다.

Children cannot **fend for themselves**.

* fend for oneself : 남의 도움없이 스스로를 돌보다.

8. 이 노래는 좀더 젊은 세대**를 겨냥하여** 만들어졌다.

This song is **geared to** the younger generation.

* geared to : ~을 겨냥한, ~에 맞도록 만든.

9. **단연** 가장 중요한 문제는 식량의 불안정성이다.

By far the most important issue is food insecurity.

* by far : 단연, 월등하게 큰 차이로.

10. 근시안적인 것은, 특히 젊은 남자들의 **경우에 그러하다**.

Shortsightedness is especially **true of** young men.

* true of : ~에 적용되다, ~의 특성이다

제16일차

먼저 우리말을 읽고 영어표현을 생각해보세요.

1. 아시아에서는 아직도 연장자가 중요한 **발언권을 가진다**.

The elders still **have an** important **say** in Asia.

* have a say : 발언권을 가지다.

2. 이것의 주된 특징들을 **하나씩** 살펴보세요.

Look at the main characteristics of this **in turn**.

* in turn : 하나씩 순서대로

3. 그는 **혼자힘으로** 유명한 사업가가 되었다.

He is a famous businessman **in his own right**.

* in one's right : 남의 도움없이 혼자힘으로.

4. 성평등 문제가 아직도 **논란중이다**.

The issue of gender equality is still **in dispute**.

* in dispute : 논란중인

5. 나의 상사는 내가 떠나는 것을 **허락하였다**.

My boss **gave the go-ahead** for me to leave.

* give the go-ahead : 허락하다.

6. 그에게는 뭔가 **꿍꿍이속이 있는** 것처럼 보인다.

It seems that he **has something up his sleeve.**

* have something up one's sleeve : 계획, 생각등을 숨기다

7. 이 병은 다른 합병증**을 일으킬** 수 있다.

This disease can **give rise to** other complications.

* give rise to : ~을 일으키다.

8. 그의 견해**에 의문을 제기**하는 사람은 거의 없었다.

Very few people have **questioned** his view.

* question : ~에 의문을 제기하다.

9. 그는 안전하지 않**다는 이유로** 그것에 반대한다.

He objects to it **on the grounds that** it is not safe.

* on the grounds that : ~라는 이유로.

10. 나는 네가 거짓말을 했다는 **명백한** 증거를 가지고 있다.

I have **clear-cut** evidence that you lied to me.

* clear-cut : 명백한.

제17일차

먼저 우리말을 읽고 영어표현을 생각해보세요.

1. 감상성은 소녀들**의 특성**이다.

Sentimentality is **characteristic of** young girls.

* characteristic of : ~의 특성인

2. 그 주장은 비판**을 당해내지** 못한다.

The argument can't **stand up** well **to** criticism.

* stand up to : ~에 견디다, 손상되거나 변경되지 않다.

3. 당신은 이 기술직에 **적합하지 않다**.

You are **ill-suited** for this technology job.

* ill-suited : 부적합한.

4. 그는 너의 순진함**을 악용하고** 있다.

He is **taking advantage of** your innocence.

* take advantage of : ~을 악용하다.

5. 사무실에서의 당신의 상황**을 잘 활용하세요**.

Make the best of your situation in the office.

* make the best of : ~을 잘 활용하다.

6. 네가 열심히 일한것은 결국 **성과를 낼** 것이다.

Your hard work will eventually **pay off**.

* pay off : 성과를 내다.

7. 우편서비스들이 19세기에 **생겨났다**.

Postal services **came into being** in the 19th century.

* come into being : 생겨나다.

8. 이 견해는 우리가 오늘날 알고 있는 바에 의해 **입증된다**.

This view is **substantiated** by what we know today.

* substantiate : ~을 입증하다.

9. 그들은 **바가지** 열차요금을 종식시킬것을 요구한다.

They call for an end to fare **rip-off** on trains.

* rip-off : 바가지요금.

10. 장난감들을 치우고 유치한 오락들**을 그만두어라**.

Put away toys and **break with** childish pursuits.

* break with : ~을 그만두다,단절하다.

제18일차

먼저 우리말을 읽고 영어표현을 생각해보세요.

1. 유년시절의 꿈들에서 **풀려나는 것**은 너를 해방시키는 것일 수 있다.

Release from childhood dreams can be liberating.

* release : 풀려남

2. 해고당한것은 **불행을 가장한 축복**이었음이 드러났다.

Being fired proved a **blessing in disguise.**

* blessing in disguise : 불행을 가장한 축복.

3. **김칫국부터 마시지** 말라.

Don't **count your chickens before they hatch.**

* count chickens before they hatch : 김칫국부터 마시다.

4. **겉모습으로 판단하지** 말아라.

Don't **judge a book by its cover.**

* judge a book by its cover : 겉모습으로 가치를 판단하다.

5. 그는 단지 **흥분에 싸여** 그것을 말한 것일 뿐이다.

He just said that **in the heat of the moment.**

* in the heat of the moment : 흥분해서 생각없이.

6. 그는 **관료주의를 극복해**야 했다.

He had to **cut through the red tape.**

* cut through the red tape : 관료주의를 극복하다.

7. 그 범죄자는 **현행범으로 체포되었다.**

The criminal was **caught red-handed.**

* caught red-handed : 현행범으로 체포되다.

8. 그것들간의 차이는 **구분이 애매**하다.

The difference between them is **grey area.**

* grey area : 회색지대.

9. 그는 **가족의 수치**다.

He is a **black sheep** in his family.

* black sheep : 가족이나 집단의 수치가 되는 사람.

10. 그들은 결국 그들의 사업에 대한 **허가를 얻었다.**

They finally **got the green light** for their business.

* get the green light : 허락을 얻다.

제19일차

먼저 우리말을 읽고 영어표현을 생각해보세요.

1. 시를 **단어 그대로** 번역하지 말라.

Don't translate poems **word for word.**

* word for word : 단어 그대로.

2. 그것은 **내가 결정할 수 있는 사안이 아니다.**

It's **out of my hands.**

* out of my hands : 내가 결정할 수 있는 일이 아닌.

3. 당신의 **익숙한 곳**에서 벗어나라.

Get out of your **comfort zone.**

* comfort zone : 익숙하고 편안한 곳.

4. 그는 많은 사람들에 의해서 칭찬을 받자 **우쭐해**졌다.

He felt **flattered** to be praised by many people.

* flattered : 우쭐하다.

5. 그 장엄한 풍경은 **나의 숨을 멎게했다**.

The great scenery **took my breath away**.

* take one's breath away : 대단하여 숨을 멎게하다.

6. 약물 과다가 그**에게 눈에 띄게 나쁜 영향을 미치기** 시작했다.

Excessive use of the drug has begun to **tell on** him.

* tell on : ~에게 눈에 띄게 나쁜 영향을 미치다.

7. 때때로, 그녀의 말은 우리들에게 **무게감을 지닌다**.

Sometimes, her words **carry weight** with us.

* carry weight : 무게감을 지니다.

8. 그녀는 어제밤에 나**를 바람맞혔다**.

She **stood** me **up** last night.

* stood A up : A를 바람맞히다.

9. 이 속담은 17세기**로 거슬러 올라간다**.

This proverb **dates back to** the 17th century.

* date back to : 과거의 ~때로 거슬러 올라가다.

10. 너는 **분에 넘치는 생활을 하고** 있다.

You are **living beyond your means**.

* live beyond one's means : 형편에 맞지않게 생활하다.

제20일차

먼저 우리말을 읽고 영어표현을 생각해보세요.

1. 나는 그녀의 갑작스런 변화로 약간 **걱정이 되었다**.

I was a little **disconcerted** by her sudden change.

* disconcerted : 걱정스러운, 혼란한.

2. 그들은 양측이 모두 **체면을 세울** 수 있는 합의에 도달했다.

They reached an agreement for both to **save face**.

* save face : 체면을 세우다.

3. 나는 '자유'라는 용어를 **넓은 의미에서** 사용하고 있다.

I am using the term 'freedom' **in a broad sense**.

* in a broad sense : 넓은 의미에서.

4. 파벌들은 이전에는 서로**간에 전쟁상태였다**.

Factions were previously **at war with** one another.

* at war with : ~와 전쟁상태인.

5. 그는 그곳의 규칙**을 따라**야 할 의무가 없었다.

He was not obliged to **conform to** the house rule.

* conform to : ~에 순응하다.

6. **반면**, 그녀는 화를 드러내지 않는다.

She, **on the other hand**, doesn't display anger.

* on the other hand : 반면에.

7. **핵심**은 우리회사가 이익을 내고 있다는 것이다.

The **bottom line** is, our company is in the black.

* bottom line : 가장 중요한 사항,핵심.

8. 그는 결국 그의 고통안에 있는 의미를 **이해했다**.

He finally **made sense of** the meaning in his pain.

* make sense of : 이해하다.

9. 식사후 **남은** 음식이 없는지 확인해 보아라.

Check if something is **left over** after dinner.

* left over : 남아 있는.

10. 너는 다른 관점들**에 대해** 좀더 **개방적**이어야 한다.

You should be more **open to** other perspectives.

* open to : ~에 열려있는.

제21일차

먼저 우리말을 읽고 영어표현을 생각해보세요.

1. 나는 그 제안**에 대해** 전혀 **고려해 보지** 않았다.
I did not **give** any **thought to** the proposal.
* give thought to : ~에 대해 생각, 고려를 해보다.

2. 그 일이 있고나서, 그는 이웃의 **기피대상이 되었다.**
After the incident, he was **shunned** by neighbors.
* shun : ~와의 만남을 기피하다.

3. 그 부모들은 **직접 그들의 손으로 벌을 주었다.**
The parents **took justice into their own hands.**
* take justice into one's own hands : 법 절차없이 직접 벌을주다.

4. 중국은 수입금지를 위협하며, **똑같은 방식으로** 대응했다.
China responded **in kind**, threatening to ban imports.
* in kind : 똑같은 방식으로.

5. 수면 **결핍상태인** 경우 당신은 일을 잘 할 수 없다.

You can't work well if you are **deprived of** sleep.

* deprived of : ~이 박탈된.

6. 그는 쇠고기**는 말할것도 없이** 닭고기조차 전혀 먹지 않았다.

He never even ate chicken, **let alone** beef.

* let alone : ~은 말할것도 없이.

7. 사실**과** 믿음**을 구분하는** 것은 중요하다.

It's important to **distinguish between** fact **and** belief.

* distinguish between A and B : A와 B를 구분하다.

8. 새로운 증거로 인해서 그 이론은 **신뢰성을 잃었다.**

With new evidence, the theory became **discredited.**

* discredited : 신뢰, 평판를 잃은.

9. 그것은 **여러 모습으로 가장하여** 반복적으로 제안되었다.

It has repeatedly been suggested **in various guises.**

* in various guises : 여러 모습으로 가장하여.

10. 문제있는 요인들**을 구분해 내는** 것은 어려운 일이다.

It's difficult to **disentangle** the problematic factors.

* disentangle : 얽혀있는 ~을 풀어내다, 분리해내다.

제22일차

먼저 우리말을 읽고 영어표현을 생각해보세요.

1. 아시아인들이 차별을 당**할 가능성이** 더 **많다**.

   Asians are more **liable to** be discriminated against.

   * liable to : ~할 가능성이 많은.

2. 그 친구들은 많은 **공통점을 가지고 있다**.

   The friends **have** a lot **in common** with one another.

   * have in common : ~을 공통점으로 가지다.

3. 고대의 플룻을 사용하는것이 그의 음악**의 특징이다**.

   The use of a ancient flute **characterizes** his music.

   * characterize : ~을 특징짓다.

4. 어떤 이들은 이른 나이에 범죄자**의 꼬리표가 붙는다**.

   Some are **tagged with** a criminal label at an early age.

   * tagged with : ~의 꼬리표가 붙다.

5. 그는 많은 잘 알려진 과학자들**과 어울렸다**.

He **associated with** many well-known scientists.

* associate with : ~와 어울리다.

6. 그는 **다시** 더욱 범죄**로 빠져들었다**.

He **relapsed into** further criminal behavior.

* relapse into : 좋아졌다가 다시 예전의 ~상태로 돌아가다.

7. 장수는 엄격한 섭생**의 결과라고 여겨진다**.

Longevity is **attributed to** a strict regimen.

* attribute A to B : A의 원인을 B로 돌리다.

8. 이 보고서는 **근거가 충분하다**.

This report is **well-founded**.

* well-founded : 근거가 충분한.

9. 몇가지 요인이 당신**이** 폐암에 걸**릴 가능성을 높인다**.

Several factors **predispose** you **to** develop lung cancer.

* predispose A to B : A가 B가 될 가능성을 높이다.

10. 이러한 유형의 소년들은 학교를 그만둘 **가능성이** 좀더 **많다**.

This type of boy is more **prone to** quitting school.

* prone to : ~할 가능성이 많은.

제23일차

먼저 우리말을 읽고 영어표현을 생각해보세요.

1. 조그마한 실수도 패배를 **재촉할** 수 있었다.
A slight mistake could **precipitate** a defeat.
* precipitate : 재촉하다.

2. 그는 버림받았다는 것을 **받아들이게 되었다**.
He **came to terms with** the fact that he was dumped.
* come to terms with : 받아들이기 힘든 ~을 받아들이게 되다.

3. 이 보고서는 실제로 발생한 일**에 가깝게** 작성**되었다**.
This report **approximated to** what actually happened.
* approximate to : ~과 가깝다, 근사하다.

4. 그는 우울증과 싸우기 위해 취미를 **계발했다**.
He has **cultivated** a hobby to fight depression.
* cultivate : ~를 계발하다, 함양하다.

5. 그가 동료들을 비판한 후에 동료들은 그**를 따돌렸다**.

His colleagues **ostracized** him after he criticized them.

* ostracize : ~를 따돌리다.

6. 그는 특정한 정책**을 지원토록** 뇌물을 제공받았다.

He was offered a bribe to **favor** a particular policy.

* favor : ~을 선호하다, 지원하다, 특별대우하다.

7. 그들중 일부는 **고의로** 규정을 위반했다.

Some of them **knowingly** committed the offenses.

* knowingly : 알고서도, 고의로.

8. 온 나라에 걸쳐 부패가 **만연해있다**.

Corruption is **pervasive** throughout the country.

* pervasive : 곳곳에 퍼져있는.

9. 나는 **장기적으로** 꾸준히 투자를 하고 싶다.

I want to invest my money **for the long haul**.

* for the long haul : 장기적으로 꾸준히.

10. 언젠가 이것을 네**게 되갚아** 주겠다.

Some day I'll **pay** you **back** for this.

* pay A back : A에게 복수하다, 되갚다.

제24일차

먼저 우리말을 읽고 영어표현을 생각해보세요.

1. 최근에 절도가 **갑자기 많이** 발생하고 있다.
   We have had **a spate of** burglaries recently.
   * a spate of : 갑작스럽게 대량의.

2. 공식적인 수치들은 실제 규모를 **축소해서 보여준다**.
   The official figures **understate** the true scale.
   * understate : ~을 축소해서 말하다.

3. 나는 그 주장을 **논박할** 수 없다.
   I can't **refute** the argument.
   * refute : ~을 논박하다.

4. 반이상의 형무소 **출소**자가 재범을 저지른다.
   Half of all prisoners **discharged** are reconvicted.
   * discharge : ~를 출소시키다, 퇴원시키다.

5. 용의자가 경찰에 **구금되어** 있다.

A suspect has been **detained** by the police.

* detain : ~를 구금하다.

6. 소방관들이 불길**을 잡는데** 8시간이 걸렸다.

It took 8 hours for fire crews to **subdue** the fire.

* subdue : ~을 제압하다, 통제하다.

7. 우리는 연간 5%의 투자수익**을 목표로 삼고있다.**

We're **shooting for** a 5% annual return on investment.

* shoot for : ~을 목표로 하다.

8. 우리는 우리의 신념**을 지키기 위하여 일어나야** 한다.

We should **stand up for** our beliefs.

* stand up for : ~을 지키기 위해 일어서다.

9. 그 도시는 **홀로** 그 문제에 대처해야 했다.

The city has been **left alone** to deal with the problem.

* left alone : 홀로 남겨지다.

10. 이 회사는 관리자들에게 더욱 큰 **재량권**을 허락한다.

This company allows managers greater **leeway**.

* leeway : 재량권,여지.

제25일차

먼저 우리말을 읽고 영어표현을 생각해보세요.

1. 나는 무엇이던지 **건성으로** 하지 않는다.

I never do anything **half-heartedly**.

* half-heartedly : 노력없이 건성으로 하다.

2. 선생님들은 학교에서 그것**을 귀가 닳도록** 내**게 이야기하셨다**.

My teachers **drilled** that **into** me in school.

* drill A into B : A를 B에게 되풀이 해서 주지시키다.

3. 그녀는 경제실패의 **원인을** 높은 세금으**로 돌렸다**.

She **ascribed** the failing economy **to** high taxes.

* ascribe A to B : A의 원인을 B로 돌리다.

4. 범죄의 급증에 대해 이민자들을 탓**하고 싶어진다**.

It's **tempting to** blame immigrants for a surge in crime.

* tempting to : ~하고 싶다.

5. 나는 다음의 사항들**에 대해** 당신**이 주목하게 하려** 합니다.

I want to **draw** your **attention to** the following points.

* draw attention to : ~에 대해 주목을 끌게 하다.

6. 그의 **최우선** 관심사는 부패와 싸우는 것이다.

His **overriding** concern is to counter corruption.

* overriding : 최우선의, 무엇보다 중요한.

7. 그 지역은 기아**로 시달림을 받아**왔다.

The region has been **plagued with** famine.

* plagued with : ~로 괴롭힘, 시달림을 받다.

8. 그것은 혁신**을 육성하는** 가장 좋은 방안이다.

It is the best way to **foster** innovation.

* foster : ~을 육성,증진하다.

9. 이 신념은 우리문화에 깊이 **뿌리박혀 있다**.

This belief is deeply **ingrained** in our culture.

* ingrained : 깊이 배어있는.

10. 고대의 농업은 날씨**에 좌우되었다**.

Ancient agriculture was **at the mercy of** the weather.

* at the mercy of : ~에 좌우되다.

제26일차

먼저 우리말을 읽고 영어표현을 생각해보세요.

1. 우리는 그의 기술부족**을 감안해**야 한다.

We should **make allowance for** his lack of skill.

* make allowance for : ~을 감안하다, 참작하다.

2. 그의 조언은 돈보다도 **중요하다**.

His advice **counts** more than money.

* count : 중요하다.

3. 대부분의 그러한 행사들이 **제도화 되었다**.

Most of such events have been **institutionalized**.

* institutionalize : ~을 제도화하다.

4. 이 이론은 1970년대에 **강한 영향력을 가졌다**.

This theory **held sway** during the 1970s.

* hold sway : 힘있다, 강한 영향력을 가지다.

5. 그들은 정부의 증세결정**을 거부했다**.

They **defied** the government's decision to raise tax.

* defy : ~을 지키기, 따르기를 거부하다.

6. 당신은 은퇴 이후엔 저축해 놓은 돈**에 기대어 살아**야 한다.

You should **live off** your savings after retirement.

* live off : ~에 기대어 살다.

7. **이야기되고 있는** 그 사람은 내친구이다.

The man **in question** is my friend.

* in question : 이야기되고 있는.

8. 그에 대한 나의 정보는 **부분적이다**.

My information about him is **patchy**.

* patchy : 뛰엄뛰엄 분포된, 불규칙한.

9. 민간인들은 전쟁에 의해 **살고있던 곳에서 쫓겨났다**.

The civilians were **displaced** by the war.

* displaced : 사는곳에서 쫓겨나다.

10. 나이든 남자는 그 나이트 클럽에 **입장이 허락되지** 않는다.

Old men are not **admitted** to the nightclub.

* admit : ~에게 입장, 가입을 허락하다.

제27일차

먼저 우리말을 읽고 영어표현을 생각해보세요.

1. 나는 수학을 수학 **그 자체를 목적으로** 공부한다.

I study math **for its own sake.**

* for its own sake : ~자체를 목적으로.

2. 나는 금융시장에서 나의 직업**을 선택하**겠다.

I will **opt for** a career in the financial market.

* opt for : 선택지중 ~ 하나를 선택하다.

3. 당신은 자기홍보 없이는 **인정을 받을** 수 없다.

You can not **find recognition** without self-promotion.

* find recognition : 인정받다.

4. 당신의 생각**을** 남**에게 강요**하지 마라.

Do not **impose** your views **on** others.

* impose A on B : B에 A를 강요하다.

5. 부모의 기대**에 따라 살아가지** 말아라.

Don't **live up to** your parents' expectations.

* live up to : ~에 따라, 부응하며 살다.

6. 가난한 사람들이 경제위기**에 가장 타격을 받는다**.

Poor people **bear the brunt of** economic crises.

* bear the brunt of : ~에 가장 타격을 받다.

7. 나의 성공**은** 내 아내의 지원 **덕분이다**.

I **owe** my success **to** my wife's support.

* owe A to B : A는 B 덕분이다.

8. 역경은 굽히지 않은 태도를 구축하**는데 도움을 준다**.

Hardship **serves to** forge an unyielding attitude.

* serve to : ~에 도움을 주다.

9. 그는 오늘 아침에 비행기를 탈 **예정이**었다.

He was **supposed to** take a plane this morning.

* supposed to : ~할 계획, 예정이다.

10. 그녀는 아침일찍 운동하기**를 매우 원한다**.

She is very **keen to** exercise early morning.

* keen to : 매우 ~하기를 원하는, 관심있는.

제28일차

먼저 우리말을 읽고 영어표현을 생각해보세요.

1. 그의 말은 대통령의 말**과 같았다**.

His remarks **paralleled** those of the president.

* parallel : ~과 비슷하다, 같다.

2. 그녀는 그 집단에서 많은 **관심을 끌었다**.

She has **attracted** a lot of **attention** in the community.

* attract attention : 관심을 끌다.

3. 그의 참석은 회의**에 무게를 더해** 줄 것이다.

His presence will **add weight to** the conference.

* add weight to : ~에 무게를 더하다, 힘을 실어주다.

4. 그녀는 몇가지 터무니 없는 사기 **의혹을 제기하였다**.

She **made** some outrageous fraud **allegations**.

* make an allegation : 혐의, 의혹을 제기하다.

5. 나는 일요일을 나의 방을 정리하는 날로 **지정하여 놓았다**.

I **reserve** Sundays **for** tidying my room.

* reserve A for B : A를 B목적으로 지정해두다.

6. 그가 연루되었을 **가능성을 높인다**.

It **raises the possibility** that he has been involved.

* raise the possibility : 가능성을 높이다.

7. 경찰이 그들을 구타했**다고 주장된다**.

It is **alleged** that the police beat them.

* alleged : ~일 것이라고 주장되다.

8. 그는 **결국에는** 고등학교 교사가 **되었다**.

He **ended up** working as a high school teacher.

* end up : 결국 ~하게되다.

9. 장학금은 대학**의 재량으로** 제공된다.

Offering scholarships is **at the discretion of** the college.

* at the discretion of : ~의 재량으로, 결정권으로.

10. 직원들은 식사를 **외상으로** 사먹고 나중에 지불할수 있다.

Employees can buy meals **on account** and pay later.

* on account : 외상으로.

제29일차

먼저 우리말을 읽고 영어표현을 생각해보세요.

1. 이혼율이 현재 **일정하게 유지되고 있는** 것으로 보인다.
   The divorce rate now seems to **level off.**
   * level off : 증감없이 평탄하다.

2. 주부들의 가사일**이 경감되었다.**
   Housewives have been **relieved of** domestic duties.
   * relieved of : ~이 경감되다, 면제되다.

3. 다른 나라들도 **따라하려고** 준비중이다.
   Other countries are preparing to **follow suit.**
   * follow suit : 따라하다.

4. 새로운 규정이 다음달부터 **발효되게 된다.**
   The new regulation will **come into effect** next month.
   * come into effect : 효력을 가지다, 발효되다.

5. 두번째 결혼은 실패**하게 되어 있다**.

Second marriages are **doomed to** fail.

* doomed to : 나쁘게 ~게 될 운명이다.

6. 그 이론은 깊은 **결함이 있다**.

The theory is deeply **flawed**.

* flawed : 결함이 있는.

7. 경제**보다** 환경이 **우선이다**.

The environment **takes priority over** the economy.

* take priority over : ~보다 우선순위가 높다.

8. 높은 교육수준이 한국의 성공**을 설명한다**.

High level of education **accounts for** Korea's success.

* account for : ~의 이유를 설명하다.

9. 우리는 아이디어와 정보들**을 함께 모았다**.

We **pooled** ideas and information.

* pool : 함께 모으다.

10. 결혼이 **더이상** 행복이 조건**이 되지 않는다**.

Marriage has **ceased to be** the condition of happiness.

* cease to be : ~이기를 중지하다, 그치다.

제30일차

먼저 우리말을 읽고 영어표현을 생각해보세요.

1. 내가 그 충격**에서 회복되기** 까지 오랜시간이 걸렸다.

It took me a long time to **get over** the shock.

* get over : ~에서 회복하다.

2. 그저 **평정심을 유지하고** 미소를 지어라.

Just **keep your composure** and smile.

* keep composure : 평정심을 유지하다.

3. 길모퉁이에 좋다고**들 하는** 식당이 있다.

There is a **supposedly** good restaurant in the corner.

* supposedly : 남들이 ~하다고 하는.

4. 그는 **꿋꿋**하게 그것을 내팽겨쳐 버렸다.

He had the **fortitude** to throw it away.

* fortitude : 꿋꿋함.

5. 네가 화난것도 **놀랍지 않다**.

It's **no wonder** you are mad.

* no wonder : 놀랍지 않다.

6. 나는 우정**을** 사랑**으로 오해했었다**.

I had **mistaken** friendship **for** love.

* mistake A for B : A를 B로 혼동하다.

7. 나는 **전적으로 동의한다**.

I **couldn't agree more**.

* couldn't agree more : 전적으로 동의하다.

8. 그 조약은 그 나라의 이익**을 보호하지** 않는다.

The treaty does not **safeguard** the country's interests.

* safeguard : ~을 보호하다, 지키다.

9. 그것은 지배적인 경향**과 궤를 같이 한다**.

It is **in line with** the prevailing trend.

* in line with : ~과 궤를 같이하다.

10. 우리는 모두 변화**를 받아들이는** 법을 배울수 있다.

We can all learn to **embrace** change.

* embrace : ~을 기꺼이 받아들이다, 수용하다.

제31일차

먼저 우리말을 읽고 영어표현을 생각해보세요.

1. **나이에 맞게 행동해**야 한다.

You should **act your age**.

* act one's age : 나이에 맞게 행동하다.

2. 우리의 관계는 **모든 면에서** 밀접해졌다.

Our relations have strengthened **across the board**.

* across the board : 모든 면에서, 전반적으로.

3. 올해**에** 주목할 정도로 공격이 급증했다.

This year **saw** a notable surge in attacks.

* A see B : A시간이나 장소에 B가 발생하다.

4. 대통령 지지율이 **바닥을 쳤다**.

The president's approval ratings have **hit bottom**.

* hit bottom : 바닥을 치다.

5. 그 계획은 반드시 **성과가 있을** 것이다.

The plan will necessarily **pay dividends**.

* pay dividends : 성과가 있다, 이익을 낳다.

6. 이혼으로 인한 상처는 **지속적인** 영향을 끼칠것이다.

Scars of divorce may have a **lasting** impact.

* lasting : 지속되는.

7. 그는 직접 **자기손으로 문제를 해결하기**로 결정했다.

He decided to **take matters into his own hands**.

* take matters into one's own hands : 직접 해결하다.

8. 그녀는 **사태를 수습하고** 다시 시작했다.

She **picked up the pieces** and started again.

* pick up the pieces : 사태를 수습하다.

9. 그것이 진실인지는 아직 **의문으로 남아있다**.

Whether it is true **remains in question**.

* remain in question : 의문으로 남아있다.

10. 지도자들은 **불간섭**과 지켜보자는 태도로 접근했다.

Leaders took a **hands-off** and wait-and-see approach.

* hands-off : 불간섭의, 결정을 맡기는.

제32일차

먼저 우리말을 읽고 영어표현을 생각해보세요.

1. 소비자들이 공급자들에 대해 **우세한 힘을 가지게** 되었다.

Consumers have **got the upper hand** over suppliers.

* get the upper hand : 우세하게 되다, 우위를 점하다.

2. 그는 부인을 **구슬려서** 그 계획을 받아들**이게 하였다.**

He **coaxed** his wife **into** accepting the plan.

* coax A into B : A를 구슬려서 B를 하게 만들다.

3. 소매 가스가격은 현재 **이익이 안나는 수준이다.**

Retail gas prices are now **below margin.**

* below margin : 이익이 없는.

4. 그는 Mr. Doom **이라는 이름으로 통한다.**

He **goes by the name of** Mr. Doom.

* go by the name of : ~라는 이름으로 통하다.

5. 미국은 시민권이 없는 사람들에게 비자제시를 **요구한다**.

The US **mandates** that noncitizens present visas.

* mandate : 공식적으로 ~을 요구하다,명령하다.

6. 집값이 **매우 높은 수준으로 올랐다**.

House prices have **gone through the roof**.

* go through the roof : 매우 높은 수준으로 오르다.

7. 한국은 대통령 선거를 **준비하고 있다**.

Korea is **gearing up for** a presidential election.

* gear up for : ~을 준비하다.

8. 한국은행은 통화정책에 있어서 **신중하다**.

The Bank of Korea is **cautious** in its monetary policy.

* cautious : 신중한, 조심스러운.

9. 회사들은 그 법의 **허점**을 찾으려고 하였다.

Companies tried to find a **loophole** in the law.

* loophole : 빠져나갈 구멍, 허점.

10. 우리는 새로운 여정을 **시작하고** 있다.

We're **embarking on** a new journey.

* embark on : ~을 시작하다.

제33일차

먼저 우리말을 읽고 영어표현을 생각해보세요.

1. 그들간의 대화는 **교착상태로** 끝났다

Talks between them ended **in a stalemate.**

* in a stalemate : 교착상태인.

2. 그 빌딩은 100명**을 수용할** 수 있다.

The building can **accommodate** one hundred people.

* accommodate : ~을 수용하다, 수납하다.

3. 누가 **배후에 있는**지 말하기 어렵다.

It is difficult to say who is **behind** it.

* behind : ~의 배후에.

4. 우리의 인내심**이 바닥났다.**

We have **run out of** patience.

* run out of : ~이 고갈되다.

5. 증가하는 케이스들이 공공서비스**에 부담을 주었다**.

The rising cases **placed a strain on** public services.

* place a strain on : ~에 압력, 부담을 주다.

6. 공장들이 **부분적으로** 가동중이다.

Factories are operating **at a lower capacity**.

* at a lower capacity : 능력,용량을 낮추어.

7. 의사들이 환자들을 보살피기 위해 **대기중이다**.

Doctors are **on standby** to care for the patients.

* on standby : 대기상태인.

8. 그는 어떤 **상세한 사항에 대해서도 말하지** 않았다.

He did not **get into** any **specifics**.

* get into specifics : 상세하게 말하다.

9. 그 관리는 그녀에게 **강요하여** 성행위를 **하였다**.

The official **coerced** her **into** sex.

* coerce A into B : A에게 강요하여 B를 하게하다.

10. 그는 그녀의 비밀**을 공개했다**.

He **went public with** her secret.

* go public with :~를 공개하다.

제34일차

먼저 우리말을 읽고 영어표현을 생각해보세요.

1. 그의 행동은 사법방해**로 간주될** 수 있다.

His behavior could **constitute** obstruction of justice.

* constitute : ~로 간주되다,여겨지다.

2. 그 가게는 손님들**로 북적거린다**.

The store is **swarming with** shoppers.

* swarming with : ~로 꽉차다, 붐비다.

3. 대중의 관심은 **그녀에게 호의적으로** 움직였다.

The public attention has worked **in her favor**.

* in one's favor : ~에게 호의적으로, 유리하게.

4. 그 사건은 누가 공격을 시작했는**지가 가장 중요하게** 될것이다.

The case will **come down to** who initiated the attack.

* A come down to B : A에 대하여 B가 가장 중요한 결정요소이다.

5. 당신이 사무실에서 일**하던** 집에서 일**하던 똑같다**.

It is **same whether** you work in the office **or** at home.

* same whether A or B : A이든 B이든 같다.

6. 내가 **당신 입장이라면** 나는 그것에 동의하지 않을것이다.

If I were **in your place**, I would not agree on it.

* in one's place : ~의 입장이라면, 상황이라면.

7. 그것**의 요령을 터득하기**는 쉽다.

It's easy to **get the hang of** it.

* get the hang of : ~의 요령을 터득하다.

8. 너에게 상처주기는 **정말로 싫다**.

The last thing I want is to hurt you.

* the last thing I want : 내가 정말 원하지 않는 것.

9. 기차가 늦게 도착**한다면 어떻하지**?

What if the train arrives late?

* what if : 만약 ~게 된다면 어떻하지?

10. 그 계획을 포기할 필요가 있다**고 여겨졌다**.

It was **deemed** necessary to abandon the plan.

* deemed : ~으로 여겨지다.

제35일차

먼저 우리말을 읽고 영어표현을 생각해보세요.

1. 정부는 인플레이션을 어떻게든 **통제하에 두는**데 성공했다.

The government managed to **keep** inflation **in check.**

* keep A in check : A를 통제하에 두다.

2. 나는 **주목받지 못하는** 것에 지쳤다.

I am tired of being **overlooked.**

* overlook : 못보고 넘어가다.

3. 당신**만** 그에게 화가 난**게 아니야**.

You are **not alone in** feeling angry with him.

* A is not alone in B : A만 B한 것이 아니다.

4. 그는 **곧 다가오는** 선거에 출마할것이다.

He will run for office in the **forthcoming** election.

* forthcoming : 곧 다가오는.

5. 그녀의 금발머리는 군중속에서 그녀를 **두드러지게** 하였다.

Her blond hair made her **stand out** in the crowd.

* stand out : 두드러지다.

6. 성공은 행복**보다 부차적인 중요성을 가진다**.

Success is **subordinated to** happiness.

* subordinate A to B: A를 B보다 부차적인 위치에 놓다.

7. 그 경향은 20세기**까지 지속되었다**.

The trend **persisted into** the twentieth century.

* persist into : ~까지 지속되다.

8. 아직 **개선의 여지**가 있다.

There is still **room for improvement**.

* room for improvement : 개선의 여지.

9. 그의 책은 급박한 변화**의 필요성에 대해** 설득력있게 **주장한다**.

His book **makes a** convincing **case for** urgent change.

* make a case for : ~의 이유, 필요성을 주장하다.

10. 그는 어제 발표된 뉴스**에 대해 상세하게 설명하지** 않았다.

He did not **elaborate on** the news released yesterday.

* elaborate on : ~에 대해 자세히 설명하다.

제36일차

먼저 우리말을 읽고 영어표현을 생각해보세요.

1. 그는 사내정치**에 환멸을 느끼게** 되었다.

He became **disillusioned with** office politics.

* disillusioned with : ~에 환멸을 느끼다.

2. 그는 살인을 포함한 범죄들**에 대해 유죄를 인정했다.**

He **pleaded guilty to** crimes including murder.

* plead guilty to :~에 대해 유죄를 인정하다.

3. 나는 **그와 잘 맞지** 않는다.

I am not **compatible with** him.

* compatible with : ~와 잘 맞는, 같이 잘 살수 있는.

4. 두나라는 아직도 이혼**을 인정하지** 않는다.

Two countries still do not **recognize** divorce.

* recognize : 인정하다,합법화하다.

5. 이 기구를 **함부로 손대서는** 안된다.

You should not **tamper with** this device.

* temper with : ~을 부주의하게 손대다, 변경시키다.

6. 성적 학대문제가 갑자기 **언론에 등장하였다**.

Sexual abuse **came into public view** suddenly.

* come into public view : 언론에 등장하다.

7. 관광객들은 소매치기를 **조심해**야 한다.

Tourists should be **wary of** pickpockets.

* wary of : ~을 조심하다,경계하다.

8. 연구자들은 의심스러운 경우들**을 조사하기** 시작했다.

Researchers began to **probe into** suspected cases.

* probe into : ~을 조사하다,탐색하다.

9. **우발적으로 문이 잠겨서** 나는 집에 **들어갈 수가 없었다**.

I accidentally **locked myself out of** the house.

* lock oneself out of : 열쇠없이 문이잠겨 ~에 못들어가다.

10. 우리제품은 인공첨가물**이 들어가 있지 않다**.

Our products are **free from** artificial additives.

* free from : 해로운 ~이 들어가 있지 않은.

제37일차

먼저 우리말을 읽고 영어표현을 생각해보세요.

1. 그는 인상파**에 가담했다**.

He **affiliated himself with** the impressionist school.

* affiliate oneself with : ~에 가입하다, 회원이 되다.

2. 이 기간동안 소설은 예술의 형식으로서 **성숙기에 다다랐다**.

During this period, novels **came of age** as an art form.

* come of age : 성년이 되다, 성공적 발달단계에 이르다.

3. 테러리즘과 어떻게 싸울것인가가 **주요 안건**이다.

How to combat terrorism is **high on the agenda**.

* high on the agenda : 주요 안건.

4. 전쟁의 검은 구름들이 유럽에 **다가오고** 있다.

Dark clouds of war are **looming** over Europe.

* loom : 나쁜일이 다가오다.

5. 우리는 이기기 위해 **총력을 다한** 노력을 해야 한다.

We should make **all out** effort to win.

* all out : 모든 힘을 다하는, 총력의.

6. 그녀는 그의 달갑지 않은 **접근**을 뿌리쳤다.

She resisted his unwelcome **advances**.

* advance : 구애, 이성의 접근.

7. 그는 모든것**을 뒤에 남겨두고** 그 집을 떠났다.

He left the house, **leaving** everything **behind**.

* leave behind : ~을 뒤에 남겨두다.

8. 감독이 팀의 패배**에 책임을 져**야 한다.

The coach should **answer for** the team's defeat.

* answer for : 나쁜 ~일에 책임을 지다, 벌을 받다.

9. 나는 나의 저임금 직업**이 지긋지긋해**졌다.

I got **fed up with** my low-paid job.

* fed up with : ~을 지긋지긋하게 느끼다.

10. 나는 어찌어찌하여 그 메시지의 의미를 **파악해낼** 수 있었다.

I managed to **grasp** the meaning of the message.

* grasp : ~를 파악하다.

제38일차

먼저 우리말을 읽고 영어표현을 생각해보세요.

1. 그것은 우리안에 **깊이 뿌리박힌** 견해에 대한 도전이다.

   It is a challenge to our own **deeply held** views.

   * deeply held : 깊이 뿌리박힌.

2. 어떻게 그 사고가 **일어났는**가?

   How did the accident **come about**?

   * come about : 일어나다,발생하다.

3. 몸이 아픈사람은 일상의 의무들**에서 면제된다**.

   Sick people are **excused from** everyday duties.

   * excuse A from B : A를 B에서 면제하다.

4. 당신은 당신의 생활**에 대해서 꼼꼼하게 살펴봐야** 한다.

   You should **take a hard look at** your life.

   * take a hard look at : ~에 대해 꼼꼼하게, 주의깊게 살피다.

5. 그것은 국가안보에 심각한 위협**을 야기할** 수 있다.

It can **pose** serious threat to national security.

* pose : 일으키다, 야기하다.

6. **어느정도는** 이것이 맞다.

To some degree, this is true.

* To some degree : 어느 정도는.

7. 이 광고는 매우 **진실을 오도할** 수 있다.

This advertisement can be very **misleading**.

* misleading : 오도하는, 잘못된것을 믿게 만드는.

8. 진실을 밝혀내기 위해 편견**은 접어두어라**.

Put aside prejudices to uncover the truth.

* put aside : ~을 제쳐두다, 접어두다.

9. 책은 당신이 **정보에 입각한 결정**을 내리는데 도움을 준다.

Books assist you to take **informed decisions**.

* informed decision : 정보와 사실에 입각한 결정.

10. 동물은 인간과 몇가지의 **밀접한 유사점**을 가지고 있다.

Animals have several **affinities** with human beings.

* affinity : 밀접한 유사점.

제39일차

먼저 우리말을 읽고 영어표현을 생각해보세요.

1. 건강**을 희생해 가면서** 성공을 추구하지 말아라.

Don't seek success **at the expense of** health.

* at the expense of : ~을 희생하여, 댓가로.

2. 인간은 그들의 기본적인 본능**에 반하여** 행동할수 있다.

Humans can **go against** their basic instinct.

* go against : ~에 반하다, 거스르다.

3. 부족장들은 아직도 상당한 권력**을 행사한다**.

Tribal leaders still **wield** considerable power.

* wield : 권력,영향력등을 행사하다.

4. 옛날에는 사람들이 **자족적인** 마을들에 살았다.

In the old days, people lived in **self-contained** villages.

* self-contained : 자기 충족적인, 자족적인.

5. 그들은 은행의 예금들을 보호하기 위해서 **개입했다**.

They **stepped in** to protect deposits at the bank.

* step in : 어려운 문제에 개입하다.

6. 그의 책은 자유시장이라는 이데올로기**의 허구를 폭로한다**.

His book **debunks** the ideology of the free market.

* debunk : ~의 실체를 벗겨내다, 허구를 폭로하다.

7. 다음 주제**로 넘어가**겠습니다.

Let's **move on to** the next topic.

* move on to : 새로운 ~로 움직이다.

8. 그들은 레알 마드리드팀**과 동급이다**.

They are **level with** Real Madrid.

* level with : ~와 동급인, 같은높이의.

9. 자리를 비운동안 내 가방**을 지켜봐 주세요**.

Keep an eye on my bag while I am away.

* keep an eye on : ~을 지켜봐주다.

10. 일본은 과거사**를 속죄해**야 한다.

Japan should **atone for** its past.

* atone for : ~을 속죄하다.

제40일차

먼저 우리말을 읽고 영어표현을 생각해보세요.

1. 학교 중퇴자들은 조직적인 범죄**의 희생자가 될** 수 있다.

School dropouts can **fall victim to** organized crime.

* fall victim to : ~의 희생자가 되다.

2. 당신은 그녀가 거짓말을 했다는 것을 알**게 될 수 밖에 없다**.

You are **bound to** find that she lied to you.

* bound to : 꼭 ~게 될것이다, ~하게 되어 있다.

3. 그는 유죄로 판명되기 전까지는 무죄**로 추정된다**.

He is **presumed** innocent until he is proved guilty.

* presume : ~로 추정하다.

4. 우리는 최근의 발전속도**에 따라갈** 수 없었다.

We could not **keep pace with** the latest development.

* keep pace with : ~에 따라가다, 보조를 맞추다.

5. 연수입이 백만달러**에 달한다**.

The annual revenue **amounts to** million dollars.

* amount to : 금액,숫자가 ~수준에 달하다.

6. 판매직에 대해서 폄하하는 태도는 아직도 **잔존하고 있다**.

Disparaging attitudes towards sales jobs still **linger on**.

* linger on : 잔존하다.

7. 어떤 사람들은 혼외정사**를 묵인한다**.

Some people **condone** extramarital sexual activity.

* condone : ~를 묵인하다, 눈감아주다.

8. 이혼**은** 더이상 **못마땅하게 생각되지** 않는다.

Divorce is not **frowned on** any more.

* frown on : ~에 눈쌀을 찌뿌리다, 못마땅하게 생각하다.

9. 그의 작품은 비윤리적이라고 **비난받았다**.

His work was **denounced** as immoral.

* denounce : ~를 비난하다.

10. 아시아인들은 **콕 찝어내어** 차별을 당하곤 한다.

Asians are often **singled out** for discrimination.

* single out : 특별한 관심으로 ~을 콕 찝어내다.

제41일차

먼저 우리말을 읽고 영어표현을 생각해보세요.

1. 지난 20년간 임금의 격차가 **좁혀졌다**.

The pay gap has **narrowed** over the past two decades.

* narrow : 좁아지다.

2. 그의 암은 **호전된 상태**이다.

His cancer is **in remission**.

* in remission : 병이 진정된, 호전된.

3. 늘어나는 실업은 위기의 **징후**이다.

Rising unemployment is a **manifestation** of crisis.

* manifestation : 표시,표명,징후.

4. 이 이슈는 향후 연구들에서 **다뤄져**야 한다.

This issue should be **addressed** in future studies.

* address : 다루다, 처리하다.

5. 주가는 빠르게 **회복되었다**.

Stock prices **bounced back** quickly.

* bounce back : 회복하다, 정상을 되찾다.

6. 그들은 읽기의 중요성**을 강조한다**.

They **place emphasis on** the importance of reading.

* place emphasis on : ~을 강조하다, 역점을 두다.

7. 그 제안들은 **잠정적인** 것이며 협상의 대상이다.

The proposals are **tentative** and subject to bargaining.

* tentative : 잠정적인, 임시적인.

8. 그녀는 몇년간 **맹렬하게** 일해왔다.

She's been working **with a vengeance** over the years.

* with a vengeance : 맹렬하게.

9. 대부분의 사람들이 그 팀**에 대해서 좋은 평가를 하고 있다**.

Most people **have a high opinion of** the team.

* have a high opinion of : ~에 대해 좋은 평가를 하다.

10. 대부분의 사람들은 남자의 경력이 **우선되어**야 한다고 믿는다.

Most believe that men's careers should **come first**.

* come first : 우선하다,더 중시되다.

제42일차

먼저 우리말을 읽고 영어표현을 생각해보세요.

1. 나에게 **미리** 이야기 해줄수 있니?
Can you tell me **ahead of time**?
* ahead of time : 필요시점보다 먼저, 미리

2. 그는 위대한 지도자로 **칭송되었다**.
He was **touted** as a great leader.
* tout : ~를 칭송하다,언급하다,선전하다.

3. 그는 신념**에 눈이 멀어** 무모하게 위험에 뛰어들었다.
He plunged into danger **blinded by** faith.
* blinded by : ~에 눈이멀어.

4. **계산되지 않은** 위험을 감수하지 말아라.
Don't do **uncalculated** risk-taking.
* uncalculated : 계산되지 않은.

5. 연구가 그것에 대한 이해를 **발전시켰다**.

Research has **advanced** our understanding of it.

* advance : ~을 발전, 진보시키다.

6. 여성운동이 다시 **주목을 받게 되었다**.

Women's movement again **came to the fore**.

* come to the fore : 주목받다, 중요해지다.

7. 사랑과 욕정 **사이의 경계를 나누는** 것은 쉽지않다.

It is uneasy to **draw a line between** love and lust.

* draw a line between : ~간의 경계를 구분하다.

8. 그는 **그의 의지에 반하여** 강제로 가족을 떠나게 되었다.

He was forced to leave his family **against his will**.

* against one's will : ~의 의지에 반하여.

9. 새로운 증거가 근래에 **알려지게 되었다**.

Fresh evidence has recently **come to light**.

* come to light : 알려지다.

10. 몇개의 충돌하는 힘들이 **작용하고** 있었다.

Several conflicting forces were **in play**.

* in play : 작용하다.

제43일차

먼저 우리말을 읽고 영어표현을 생각해보세요.

1. 그들의 행동이 학교전체의 **명예를 실추시켰다**.

Their behavior has **shamed** the whole school.

* shame : ~를 수치스럽게 하다, ~의 명예를 실추시키다.

2. 화석연료를 **절약하여** 사용하라.

Use fossil fuel **sparingly**.

* sparingly : 절약하여.

3. 자동화는 **고단하고 지루한 일**을 대체할 수 있다.

Automation can replace the **grunt work**.

* grunt work : 고단하고 지루한일.

4. 비타민 복용은 해로운 질병**을 막는데** 도움을 준다.

Eating vitamins helps to **ward off** harmful diseases.

* ward off : ~를 막아내다.

5. 필요한 **예방조치를 취하라**.

Take the necessary **precautions**.

* Take a precaution : 예방조치를 취하다.

6. 처음의 흥분은 지루함**으로 바뀌었다**.

Initial excitement **gave way to** boredom.

* give way to : ~로 대체되다.

7. 나는 일**때문에 정신이 없다**.

I am **swamped with** work.

* swamped with : 많은 ~에 압도되다.

8. 나는 학교에서 배울 기회**가 주어지지 않았다**.

I was **denied** the opportunity of learning at school.

* denied : ~이 허락되지 않은.

9. 그 가족은 **최저 생활수준으로** 살고 있다.

The family was living **at a subsistence level**.

* at a subsistence level : 최저 생활수준으로.

10. 내전**으로 고통받는** 나라들이 많다.

There are many countries **afflicted by** civil war.

* afflicted by : ~에 고통받는.

제44일차

먼저 우리말을 읽고 영어표현을 생각해보세요.

1. 나는 그가 그것을 했다고 생각했으나, **사실**이 아니었다.

I thought he did it, but that wasn't **the case**.

* the case : 사실.

2. 이러한 경향은 유럽에서 더욱 **두드러졌다**.

This trend has been more **pronounced** in Europe.

* pronounced : 두드러진.

3. 나는 그의 면전에서 그것을 말**할 용기를 가지고 있지** 않다.

I don't **have the guts to** say that to his face.

* have the guts to : ~을 할 용기를 가지다.

4. 시민은 법과 규정들**의 통제를 받는다**.

Citizen is **subject to** laws and regulations.

* subject to : ~의 통제를 받는.

5. 모든 주장은 **암묵적인** 가정을 포함하고 있다.

Most arguments contain **unstated** assumptions.

* unstated : 진술되지 않은.

6. **말은 쉽다**.

Talk is cheap.

* Talk is cheap : 말하기는 쉽다.

7. 그 모델은 연구의 방향**을 한쪽으로 치우치게 할** 수 있다.

The model can **bias** the direction of the research.

* bias : ~을 한쪽으로 치우치게 하다.

8. 너무 많은 일은 결혼생활**을 방해한다**.

Too much work **gets in the way of** married life.

* get in the way of : ~을 방해하다.

9. 나는 당신의 생각**에 동의하지** 않는다.

I'm not **buying into** your idea.

* buy into : ~을 믿다, 동의하다.

10. 비용**을 제쳐 두고**라도, 얼마나 시간이 걸릴것 같은가?

Leaving aside the cost, how long will it take?

* leave aside : ~을 제쳐두다.

제45일차

먼저 우리말을 읽고 영어표현을 생각해보세요.

1. 나는 선생으로 부터**든** 학생으로 부터**든 똑같이** 배운다.

I learn from teachers and students **alike.**

* alike : ~들이 똑같이.

2. **결론을 낼** 시간이다.

It's time to **draw a conclusion.**

* draw a conclusion : 결론을 내다.

3. 결과적으로 **대중의 비난**을 일으켰다.

The result was a **public outcry**.

* public outcry : 대중의 비난.

4. 차의 매출은 기대**에 미치지 못했다.**

Car sales **fell short of** expectations.

* fall short of : ~에 미치지 못하다.

5. 그들은 그 혜택**을 받을 권리가 있다**.

They are **entitled to** the benefits.

* entitled to : ~에 대한 권리,자격이 있는.

6. 나를 거짓말쟁이라고 부르는것은 **선을 넘은** 행동이다.

Calling me a liar is **out of line**.

* out of line : 선을 넘은, 도가 지나친.

7. 그들은 토지와 재산**을 빼앗겼다**.

They were **dispossessed of** lands and properties.

* dispossessed of : ~을 빼앗긴, 박탈당한.

8. 민주당은 선거에서 심각한 **실패**를 겪었다.

Democrats suffered a serious **setback** in the election.

* setback : 방해,장애,실패,역행

9. 그는 지난밤 **평소답지 않게** 행동했다.

He behaved **out of character** last night.

* out of character : 평소답지 않게.

10. 그들은 소수자들에게 차별**을 일삼았다**.

They **practiced** discrimination against minorities.

* practice : 관습적으로 ~을 반복하다.

제46일차

먼저 우리말을 읽고 영어표현을 생각해보세요.

1. 노조원들은 가두시위를 **전개했다**.

Union workers **staged** a street protest.

* stage : ~을 전개하다, 조직하다.

2. 그 법을 개정하려는 시도는 저항**에 부딪혔다**.

Attempts to amend the law **met with** resistance.

* meet with : ~을 경험하다, ~ 반응을 유발하다.

3. 그 법안은 연료소비를 줄이는것**을 목적으로 한다**.

The bill is **aimed at** reducing fuel consumption.

* aimed at : ~을 목적으로 하다, 의도하다.

4. 무모한 운전이 조급함**과 맞물려서** 재난을 낳는다.

Reckless driving **coupled with** hastiness brings disaster.

* coupled with : ~과 맞물려서, 결합하여.

5. 내 딸은 어떻게 **나를 구슬려야** 하는지 안다.

My daughter knows how to **get round** me.

* get round : ~를 구슬리다, 잘해주며 설득하다.

6. 그는 위증죄**로 유죄판결을 받는** 것을 가까스로 피했다.

He narrowly escaped being **convicted of** perjury.

* convicted of : ~로 유죄판결을 받다.

7. 정부는 연금시스템**을 땜질처방 하는** 경향이 있다.

Government tends to **tinker with** the pension system.

* tinker with : ~을 땜방하다, 땜질처리하다.

8. 그들은 시민권의 보호**에 전념하고 있다**.

They are **committed to** the protection of civil rights.

* committed to : ~에 전념하다, 헌신하다, 충성하다.

9. 하급자들은 **당연히** 상급자들의 서류가방을 운반한다.

Juniors carry briefcases of seniors **as a matter of course**.

* as a matter of course : 당연히.

10. 비용을 줄여야 할 필요**에 맞닥뜨렸다**.

We were **faced with** the need to reduce costs.

* faced with : ~에 직면하다, 맞닥뜨리다.

제47일차

먼저 우리말을 읽고 영어표현을 생각해보세요.

1. 내인생에서 여자들은 **있다가도 없다가도 한다**.

In my life, women **come and go**.

* come and go : 나타났다 떠나가다.

2. 관료주의**에 반대하여** 비정부 단체들이 생겨났다.

NGOs have been set up **in opposition to** bureaucracy.

* in opposition to : ~에 반대하여.

3. **성숙한** 민주주의는 자유선거에서 온다.

A **fully fledged** democracy results from free election.

* fully fledged : 완전히 발달된.

4. 그들은 그들의 결정**을 뒷받침하기** 위해 무력에 호소한다.

They call for the armed forces to **back up** their decision.

* back up : ~을 지원하다, 뒷받침하다.

5. 부자와 유명인들은 그들의 **기득권**을 포기해야 한다.

The rich and famous must give up their **vested interests**.

* vested interests : 기득권.

6. 상황이 갑자기 **걷잡을 수 없게 될** 수 있다.

Things could quickly **get out of hand**.

* get out of hand : 걷잡을 수 없게 되다, 통제불능이 되다.

7. 급진적인 정치집단은 사회주의**로 기울어진다**.

Radical political groups **lean towards** socialism.

* lean towards : ~로 기울다.

8. 조직내에서 **성공하기** 위해서는 노력과 시간이 필요하다.

To **rise** within an organization requires effort and time.

* rise : 성공하다, 유력해지다.

9. 그 제안은 위원회에 의해 **공개적으로 승인되었다**.

The proposal was **endorsed** by the committee.

* endorse : ~을 공개적으로 승인,지지하다.

10. 그것은 한국이 직면한 문제들**의 완벽한 예이다**.

It **epitomizes** the problems faced by Korea.

* epitomize : ~의 완벽한 예이다.

제48일차

먼저 우리말을 읽고 영어표현을 생각해보세요.

1. 우리는 평화를 가져오기 위해 **일치단결하여 노력해**야 한다.

We must **make concerted efforts** to bring peace.

* make a concerted effort : 일치단결하여 노력하다.

2. 영국은 미국에 의해 **추월당했다**.

Great Britain was **overtaken** by the United States.

* overtake : ~을 추월하다, 앞지르다.

3. 그것의 영향력은 몇년간 **세졌다 약해졌다 했다**.

Its influence has **waxed and waned** over the years.

* wax and wane : 세졌다 약해져다 하다.

4. 그는 그 도전을 **정면으로** 받아들여야 한다.

He has to face the challenge **head-on**.

* head-on : 정면으로.

5. 그 결정은 **부적절한** 의견들에 기초하고 있다.

The decision is based on **ill-informed** opinions..

* ill-informed : 부적절한 지식에 의한, 사실에 근거하지 않은.

6. 그들은 그들의 권리**를 행사할** 수 없었다.

They were not able to **exercise** their rights.

* exercise : ~을 행사하다, 사용하다.

7. 전쟁없는 세계**는 상상하기** 불가능하다.

It is not possible to **envisage** a world without war.

* envisage : ~을 상상하다, 예상하다.

8. 그들은 교육의 통제권**을** 교회**들로부터 쟁취하려**고 하였다.

They tried to **wrest** control of education **from** churches.

* wrest A from B : B로부터 A를 쟁취하다, 어렵게 빼앗다.

9. 요리**에 관해서라면** 그녀는 내가 아는사람 중에 최고다.

When it comes to cooking, she's the best I know.

* when it comes to : ~에 관해서라면.

10. 그 마을은 **활기를 띄게 되었다**.

The town **came to life**.

* come to life : 활기를 띄다, 의식을 되찾다.

제49일차

먼저 우리말을 읽고 영어표현을 생각해보세요.

1. 그는 위법행위 의혹을 받는중에 **사임했다**.

He **stepped aside** amid allegations of misconduct.

* step aside : 현직에서 강제로 물러나다, 사임하다.

2. 그들은 특정한 식습관**을 고수한다**.

They **hold on to** some dietary practices.

* hold on to : ~을 고수하다, 유지하다.

3. 그 작가는 그토록 설득력있는 아이디어**를 내놓는다**.

The writer **comes up with** such a compelling idea.

* come up with : ~을 내놓다.

4. 그 플라스틱은 음식포장**에 사용될 예정이다**.

The plastic is **destined for** boxing food.

* destined for : ~의 용도로 사용될 예정인.

5. 그 회의는 단지 몇주 **후에** 열릴예정이다.

The meeting is now just weeks **away**.

* away : ~정도 후에, 미래에.

6. 그 기기의 복잡성은 **이해하기 어렵다**.

The complexity of the device is **mind-boggling**.

* mind-boggling : 매우 놀라운, 난해한, 상상을 초월하는.

7. 그들은 나의 노력**을 알아주지** 않는다.

They do not **appreciate** my effort.

* appreciate : 진가를 인정하다, 감사하다.

8. 그것은 그 사고**와 아무런 관련이 없다**.

It has nothing to do with the accident.

* have nothing to do with : ~과 아무런 관련이 없다.

9. 그는 그 결정**을 보류시키기** 위해서 조치들을 취할수도 있다.

He could take measures to **put** the decision **on hold**.

* put A on hold : A를 보류시키다.

10. 조사는 사기의혹**에 촛점이 맞춰 지고 있다**.

The investigation is **focused on** the allegation of fraud.

* focused on : ~에 촛점이 맞춰지다.

제50일차

먼저 우리말을 읽고 영어표현을 생각해보세요.

1. 그녀는 매장의 매출 프로세스**에 대해 정통하다**.

She is **well-versed in** the shop sales process.

* well-versed in : ~에 정통한, 매우 잘 알고 있는.

2. 그 결정은 달갑지 않은 **선례를 남기게** 될것이다.

The decision would **set an** unwelcome **precedent**.

* set a precedent : 선례를 남기다.

3. 그의 고소득 직업**이 걸려있다**.

His high-paying job is **at stake**.

* at stake : ~을 잃을 수 있는 위험에 처해있다, ~이 걸려있다.

4. 그 건물은 고딕양식**을 생각나게 했다**.

The building was **reminiscent of** the Gothic style.

* reminiscent of : ~을 생각나게 하다.

5. 수익의 하락세가 **반전되었다**.

The downward trend in earnings **went into reverse**.

* go into reverse : 반전되다.

6. 그것은 회사내 **평직원들**에게 인기가 있었다.

It was popular within the company's **rank and file**.

* rank and file : 조직의 리더가 아닌 일반구성원.

7. 옛날에는 노인들이 **존경을 받았다**.

In the old days, seniors **commanded respect**.

* command respect : 존경을 받다.

8. 그 제국은 **전성기때** 세상에서 가장 부자 나라였다.

The empire, **at its height**, was the richest of all.

* at its height : 그것의 전성기때.

9. 그들은 어떠한 위협에도 대처하기 **위한 역량이 갖추어져 있다**.

They are **equipped to** deal with any threats.

* equipped to : ~ 할 역량이 갖추어진.

10. 이것은 리스크와 위험**으로 가득한** 과제이다.

This is a task **fraught with** risk and danger.

* fraught with : 좋지 않은 ~ 것들로 가득한.

제51일차

먼저 우리말을 읽고 영어표현을 생각해보세요.

1. 경제에 대한 나쁜소식은 장관**을 걱정시켰다**.

The bad news about the economy **rattled** the minister.

* rattle : ~를 걱정시키다, 신경질나게 하다.

2. 누가 당신에게 기회의 **손을 내밀지** 절대로 알 수 없다.

You never know who will **reach out** with an opportunity.

* reach out : 관계, 협력, 도움을 주거나 받기 위해 손을 내밀다.

3. 이것은 **당치도 않은** 가정은 아니다.

It is not a **far-fetched** assumption.

* far-fetched : 당치않은,허무맹랑한.

4. 우리가 그 단서들**에 주의를 집중하면**, 증거를 찾아낼수 있다.

If we **zero in on** the clues, we can find the evidence.

* zero in on : ~에 주의를 집중하다.

5. 그는 반복적인 인종차별적 공격**에 처해졌**었다.

He had been **subjected to** repeated racist offenses.

* subjected to : 좋지 않은 ~ 일을 억지로 겪게되다, 처해지다.

6. 그 공격은 그에게 감정적인 **고통을 안겨 주었다**.

The offenses have **taken an** emotional **toll** on him.

* take a toll : 피해, 고통을 주다.

7. 그는 그 부상에 대해서 **눈이 튀어나올** 정도의 보상을 받았다.

He got **eye-popping** compensation for the injury.

* eye-popping : 눈이 튀어나올 정도로 놀라운.

8. 그들은 사방으로 확장되고 있는 회사 전반에 걸쳐 비용**을 통제한다**.

They **rein in** costs across the sprawling company.

* rein in : 고삐를 잡다, 통제하다.

9. 언론들은 2023년**을** '회복의 해' **라는 별칭으로 불렀다**.

The media **dubbed** 2023 the 'year of recovery'.

* dub A B : A를 B라는 별칭으로 부르다.

10. 그들의 사업은 디지털 광고**에** 크게 **의존한다**.

Their business heavily **relies on** digital advertising.

* rely on : ~에 의존하다.

제52일차

먼저 우리말을 읽고 영어표현을 생각해보세요.

1. 그것은 단지 **예상치 못한** 것이었다.

It was just **out of the blue**.

* out of the blue : 예상치 못한.

2. 투명성 있게 행동하는것은 **경험적으로 대략 괜찮은 방법**이다.

It's a good **rule of thumb** to act with transparency.

* rule of thumb : 경험에 근거한 대략적인 방법,원칙.

3. 그 뉴스를 들었을때 나는 완전히 **정신이 나갔다**.

When I heard the news, I **freaked out** completely.

* freak out : 놀라움, 충격, 흥분 등으로 자제력을 잃다.

4. 유출된 문서들은 그가 얼마나 깊이 연루되어 있는지를 **드러낸다**.

The leaked documents **reveal** how deeply he is involved.

* reveal : ~을 드러내다, 보여주다.

5. 더욱 저렴한 제품을 제공하기 위해서 품질**을 떨어뜨리지** 마라.

Do not **compromise** quality to provide more affordable products.

* compromise : ~을 손상하다, 약화시키다, 평판을 더럽히다.

6. 러시아군은 **곤경에 빠져**있다.

Russian military is **in dire straits**.

* in dire straits : 곤경에 빠진, 매우 안좋은 상황인.

7. 그 자료를 공개하는것은 첩보의 공유**를 억제시킬** 수 있다.

Release of the material could **curb** intelligence sharing.

* curb : ~을 억제하다, 제한하다.

8. 그 문서들은 그들이 그를 염탐하고 있다는것**을 명백히 보여준다**.

The documents **make plain** that they are spying on him.

* make plain : ~을 명백히 보여주다, 말하다.

9. 그들은 그 정보의 유출을 차단하는 절차**를 제정했다**.

They had **instituted** procedures to 'lock down' the information.

* institute : 제도나 절차를 제정하다, 개시하다.

10. 그것들은 트위터에서 **알려지면서** 더 광범위한 주목을 받았다.

They gained broader attention when they **surfaced** on Twitter.

* surface : 표면화하다, 떠오르다, 알려지다.

제53일차

먼저 우리말을 읽고 영어표현을 생각해보세요.

1. 지구 온란화의 영향**을 막는** 것이 필수적이다.

It is essential to **avert** the impacts of global warming.

* avert : ~을 막다, 방지하다.

2. 어떤이들은 **굳이** 결혼식**을 하려 하지 않는다**.

Some people **don't bother to** go through a marriage ceremony.

* don't bother to : ~을 굳이 하지 않다, 할 필요성을 느끼지 않다.

3. 그들은 **행운을 빌며**, 10% 팁을 받기 희망했다.

They **crossed their fingers** and hoped for a 10 percent tip.

* cross one's fingers : 행운을 빌다.

4. 그 주문들은 유명인사들이 **자주가는** 식당으로부터 온다.

The orders come from the restaurant **frequented by** celebrities.

* frequent : ~를 자주가다.

5. 가끔씩 생기는 좋지 않은 경험이 그들의 관계를 **식게 만들었다**.

The occasional bad experience **soured** relations between them.

* sour : ~을 악화시키다, 즐겁지 않게 만들다.

6. 정부는 새로운 제안**을 공개했다**.

The government **unveiled** a new proposal.

* unveil : ~을 공개하다, 발표하다.

7. 몇몇 운전자들이 종종 명당자리**를 차지하려고 경쟁하고** 있다.

Several drivers are often **vying for** a prime location.

* vie for : ~을 얻기 위해 경쟁하다.

8. 여기 그의 운명을 **체념하고 받아들였던** 한 사람이 있다.

Here is a man who was **resigned to** his fate.

* resigned to : ~을 체념하고 받아들이다.

9. IT기술은 많은 수작업**을 제거하는** 것을 도와왔다.

IT technology has helped to **do away with** a lot of manual work.

* do away with : ~을 제거하다, 폐지하다.

10. 배우는 사람들은 표준적인 교육과정에 **따라서는** 안된다.

Learners should not **submit to** a standard curriculum.

* submit to : ~에 따르다, 복종하다.

제54일차

먼저 우리말을 읽고 영어표현을 생각해보세요.

1. 인공지능은 변호사들의 **생계수단**이 되는 업무들을 수행한다.

AI performs tasks that are the **bread and butter** of lawyers.

* bread and butter : 생계수단.

2. 변호사들은 시간당 과금모델**이 몸에 배여있다**.

Lawyers are **steeped in** the hourly billing model.

* steeped in : ~이 배어있는, ~에 쩔어있는

3. 우려가 증대되**는 가운데**, 그들은 프로젝트를 그만두기로 결정했다.

Amid growing concern, they decided to quit the project.

* amid : ~한 중에, ~한 가운데.

4. 회사들은 그 자료를 조사하기 위해 인공지능**에 도움을 구하고** 있다.

Companies are **turning to** AI technologies to trace the material.

* turn to : ~에 도움을 구하다.

5. 대통령은 그 폭로의 심각성**을 격하시키려** 하였다.

President sought to **downplay** the disclosures.

* downplay : ~의 중요성이나 심각성을 격하시키다.

6. 회사들은 IT시장에서 우월한 위치를 얻기**위해 각축하고 있다**.

Companies are **scrambling to** gain supremacy over the IT market.

* scramble to : 앞다투어 ~을 하다, ~을 얻기위해 각축하다.

7. 이 토론에 진정 무엇이 걸려있는지 **잊지** 말기로 하자.

Let's not **lose sight of** what is really at stake in this debate.

* lose sight of : 정작 중요한 ~을 잊다.

8. 피아노 연주의 경험은 그에게 **놀라운 경험**이었다.

The experience of piano playing was a **revelation** to him.

* revelation : 예상치 못했던, 놀랍고 좋은 경험.

9. 그 명령은 판사의 판결**과 맞지 않는다**.

The order is **at odds with** the ruling from the judge.

* at odds with : ~에 동의하지 않는, ~과 사이가 좋지 않은

10. 법원은 환자가 그 약을 입수하는 방법에 대한 제한**을 복원하였다**.

The court **reinstated** limits on how patients obtain the drug.

* reinstate : ~을 복원하다, 복귀시키다.

제55일차

먼저 우리말을 읽고 영어표현을 생각해보세요.

1. 나는 저 아이들이 **나쁜 일을 꾸미고** 있다고 확신한다.
I'm sure those kids are **up to no good.**
* up to no good : 무언가 나쁜일을 꾸미다.

2. 그들은 사법시스템의 **대대적인** 변화를 요구한다.
They are calling for **sweeping** changes in the legal system.
* sweeping : 광범위한, 대대적인, 압도적인.

3. 그녀는 이것**에 대한** 확실한 **기술을 가지고 있다.**
She **has an** undeniable **knack for** this.
* have a knack for : ~에 대한 기술, 요령을 가지고 있다.

4. 그녀의 이전 생활**을 떠나보내는** 것은 어려운 일이다.
It is difficult to **let go of** her previous life.
* let go of : ~에 대해 잡은 손을 놓다, ~를 놓아주다, 보내주다.

5. 그의 외모 때문에 그는 이웃들**에게 호감을 얻지** 못했다.

His appearance did not **endear** him **to** the neighbors.

* endear A to B : A를 B가 좋아하거나 사랑하게 하다.

6. 그것이 그가 **눈에 띌** 유일한 방법이었다.

It was the only way he would be **spotted**.

* spot : 발견하다, 포착하다.

7. 경기침체는 투자가들을 좀더 **위험회피적으로** 만들었다.

The recession has led investors to become more **risk-averse**.

* risk-averse : 위험회피적인.

8. 오락산업 역시 **후퇴해** 있다.

The entertainment industry has also been **in retreat**.

* in retreat : 후퇴한, 퇴각한

9. 그들은 북한의 핵실험이 **예정된 궤도에서 벗어날** 것을 우려한다.

They fear North Korea's nuclear tests could **go awry**.

* go awry : 의도, 계획된 것에서 벗어나다.

10. 회의는 몇시간을 **질질 끌었다**.

The meeting **dragged on** for several hours.

* drag on : 길게 질질 끌다.

제56일차

먼저 우리말을 읽고 영어표현을 생각해보세요.

1. 나는 **형편이 더 나은** 가까운 친구들이 있었다.

I had close friends who were **better off**.

* better off : 더 좋은, 만족스러운, 재정적으로 나은 상황인.

2. 재정전망은 그 진보적인 제안들에 대해서 **먹구름을 드리운다**.

The fiscal outlook **casts a cloud** over the progressive proposals.

* cast a cloud : 불확실성이나 부정적인 영향을 드리우다.

3. 그는 **갑자기 불쑥** 나타났다.

He appeared **out of nowhere**.

* out of nowhere : 갑자기, 예기치 않게

4. 그는 요즘에 나에게 차한잔 하러 오라고 말**하곤 한다**.

He has recently **taken to** asking me round for tea.

* take to : ~을 습관적으로 하기 시작하다.

5. 그는 **혹시라도 무언가** 단서가 있을**까봐** 계속 들었다.

He kept listening, **just in case** there was some clue.

* just in case : 혹시 몰라서, 만약의 경우를 대비하여.

6. 그는 중요한 사안에 대해서 **판단을** 부모**에게 맡긴다**.

She **defers to** her parents on important matters.

* defer to : 판단을 ~에게 맡기다.

7. 제한조치는 그 약을 찾는 사람들**에게 어려움을 줄**것이다.

The restrictions will **put a burden on** those seeking the medicine.

* put a burden on : ~에게 짐을 지우다,어려움을 주다.

8. 그 요건을 시행하는 것은 돌이킬수 없는 해를 끼**칠 위험이 있다**.

The enforcement of the requirement **risks** irreparable harm.

* risk : ~의 위험에 내맞기다. ~한 위험을 무릅쓰다.

9. 그 자료 유출건은 미국과 동맹국들에 **광범위한** 결과를 가져왔다.

The data leak had **far-reaching** implications for the US and its allies.

* far-reaching : 광범위한.

10. 그 폭로들은 연쇄적인 사건들**을 발생시켰다**.

The revelations have **set off** a chain of events.

* set off : ~을 일어나게 하다, 발생시키다.

제57일차

먼저 우리말을 읽고 영어표현을 생각해보세요.

1. 그것은 양쪽의 장점만을 취한다**고 여겨진다**.

It's **supposed to** get the best of both worlds.

* supposed to : ~라고 여겨지다, 믿어지다.

2. 어떤 사람들에게는 **그렇게 보일** 수 있다.

It may **look that way** to some people.

* look that way : 그렇게 보이다.

3. 그 결과가 어떠한 영향을 미칠지 **두고 볼 일이다**.

It **remains to be seen** how the outcome might affect.

* remain to be seen : 두고볼 일이다.

4. 부품들은 크기제한**에 맞아떨어져**야 한다.

Components are needed to **fit into** the size constraints.

* fit into : 크기와 모양등이 ~에 맞아떨어지다.

5. 그 로켓은 **날아올랐다**.

The rocket **took flight**.

* take flight : 날아오르다.

6. 그는 시스템**을 미세조정하는** 것에 대한 비슷한 접근방법을 취했다.

He took a similar approach to **fine-tuning** the system.

* fine-tune : ~을 미세조정하다.

7. 그것이 실패했었다면, 회사는 **파산했을** 것이다.

Had it failed, the company would have **gone out of business**.

* go out of business : 파산하다.

8. 사람들은 그날의 결과**에 침착하게 대처했다**.

People **took** the day's outcome **in stride**.

* take A in stride : 어려움이나 문제인 A를 차분하게 대처하다.

9. 핀란드는 현재 공식적으로 나토**에 가입되어 있다**.

Finland is now officially **in the fold of** NATO.

* in the fold of : ~에 가입해있는.

10. 미국의 1인당 국내총생산은 유럽**과 막상막하였다**.

America's GDP per capita was **neck and neck with** Europe.

* neck and neck with : ~과 막상막하인.

제58일차

먼저 우리말을 읽고 영어표현을 생각해보세요.

1. 어떤 사람들은 신자유주의의 참상**에 대해 맹렬하게 비판한다.**

Some people **rail against** the horrors of neoliberalism.

* rail against : ~에 대해 맹렬하게 비판하다, 반대하다.

2. 미국식 자본주의 모델이 **강하게 비판 받고 있다.**

The American model of capitalism is **under assault.**

* under assault : 공격받다, 강하게 비판받다.

3. 그 집단들은 통상적으로 낙태사례들**에 대하여 의견을 내곤** 한다.

The groups usually **weigh in on** abortion cases.

* weigh in on : ~에 대해 논의에 참가하다, 의견을 말하다.

4. 법원은 과학적 근거**에 상관없이** 약품승인을 뒤집었다.

Courts overturned drug approval **without regard for** science.

* without regard for : ~을 고려하지 않고.

5. 그것은 평화적인 협상**에 찬물을 끼얹을** 것이다.

It would **have a chilling effect on** peaceful negotiation.

* have a chilling effect on : ~에 찬물을 끼얹다.

6. 이러한 변화는 금융시장**을 동요하게 만든다**.

This change **has an unsettling effect on** the financial market.

* have an unsettling effect on : ~을 동요시키다, 불안하게하다.

7. 프랑스의 외교관 호송대가 시내에서 **총격을 받았다**.

A French diplomatic convoy **came under fire** in the city.

* come under fire : 총으로 공격받다, 비판받다.

8. 그 두사람은 2021년에 권력을 잡았다.

The two men **seized power** in 2021.

* seize power : 권력을 쥐다.

9. 아이들은 비디오 게임**의 집중포화를 받는다**.

Children are **bombarded with** video games.

* bombarded with : ~의 집중포화를 받다.

10. 가족들은 그들의 경험들**을 웃어넘겼다**.

Family members have **laughed off** their experiences.

* laugh off : ~을 웃어넘기다.

제59일차

먼저 우리말을 읽고 영어표현을 생각해보세요.

1. 어떤 사람들은 매일 같은 책을 읽는것**을 지겨워하는** 것처럼 보인다.
Some people seem to be **weary of** reading the same books every day.
* weary of : ~을 지겨워하다, 피곤해하다.

2. 이러한 접근은 오늘날의 믿음**에 역행한다**.
This approach **runs counter to** the beliefs of today.
* run counter to : ~에 반대하다, 거스르다, 역행하다.

3. 그는 부인의 의견**에 마지못해 동의하였다**.
He **acquiesced to** his wife's opinion.
* acquiesce to : ~에 마지못해 동의하다.

4. 금융시장은 현재까지 부채위기에 **대해서 대수롭지 않게 여겨**왔다.
Financial markets have thus far **shrugged off** the debt crisis.
* shrug off : ~을 대수롭지 않게 여기다.

5. 그들은 지인들을 방문하고 **가벼운 덕담을 주고받았다.**

They visited acquaintances and **exchanged pleasantries.**

* exchange pleasantries : 사교적인 덕담, 가벼운 농담을 주고받다.

6. 그녀는 남편의 무덤을 청소하고 **망자를 기리기** 위해 돌아왔다.

She returned to clean her husband's grave and **pay her respects.**

* pay one's respect : 죽은사람을 기리다.

7. 러시아의 우주계획이 **만신창이 상태다.**

Russia's space program is **in tatters.**

* in tatters : 누더기가 되다, 갈갈이 찢어지다.

8. 중국은 미국의 역량에 **대항할** 방법을 개발해왔다.

China has developed ways to **counter** American capabilities.

* counter : 대항하다.

9. 작은 나라들은 큰 나라들**을 위험에 빠뜨릴** 수 있는 능력을 획득했다.

Small States achieved the ability to **hold** large states **at risk.**

* hold A at risk : A를 위험에 빠지게 하다.

10. **종합적으로 볼때**, 평가결과는 공간의 중요성을 보여준다.

Taken together, the assessments show the importance of space.

* taken together : 말한 모든것을 고려하여, 종합적으로 볼때.

제60일차

먼저 우리말을 읽고 영어표현을 생각해보세요.

1. 과학자들은 증대된 위협에 대해서 **경고해**왔다.

Scientists have **sounded the alarm** over increased threats.

* sound the alarm : 경보음을 울리다,경고하다.

2. 그들은 경기침체를 극복하려는 노력에 장애**를 겪었다**.

They **suffered** a setback in their efforts to overcome the recession.

* suffer : 나쁜 ~을 겪다.

3. 이것은 북한의 무력위협이 **일상이 되었다는 것**을 인정하는것이다.

This is a admission that North Korea's arsenal is **here to stay**.

* here to stay : 일상이 되었고 앞으로도 그러할 것이다.

4. 그들은 외교적인 해법을 추구하는 가능성**에 대한 희망을 준다**.

They **hold out** the possibility of pursuing a diplomatic solution.

* hold out : ~에 대한 희망,가능성을 주다.

5. 그들은 가진 칩들**을 현금화하여** 무엇인가를 얻으려 할것이다.

They would try to **cash in** their chips and get something.

* cash in : ~을 현금화하다

6. 첫번째 두 과제들은 **예정보다** 몇년 **늦은 상태이다**.

The first two missions are years **behind schedule**.

* behind schedule : 예정보다 늦은.

7. 이 장면은 그나라의 복잡한 문화사**를 암시한다**.

This scene **alludes to** the complex cultural history of the country.

* allude to : ~를 암시하다.

8. 그 나이든 작가들은 완전히 **최근의 동향에 무지하다**.

The old writers are completely **out of touch**.

* out of touch : 최근의 동향,지식에 무지한.

9. 판사들은 정부가 실행한 단계들**을 원래상태로 되돌렸다**.

The judges **rolled back** the steps the government had taken before.

* roll back : ~을 원래수준으로 되돌리다,낮추다.

10. 전면적인 기술변화가 영화산업**을 뒤집어 놓았다**.

Sweeping technological change has **upended** the movie business.

* upend : ~을 뒤엎다.

제61일차

먼저 우리말을 읽고 영어표현을 생각해보세요.

1. 변화된 상황**에 적응해라.**

Get used to the changed situation.

*get used to : ~에 익숙하게, 적응하게 되다.

2. 어떠한 기준들로 보면, 이 중요한 입법은 많이 **때늦은 것이다.**

By some measures, this important legislation is long **overdue.**

* overdue : 때늦은.

3. 공장폐쇄는 노조지도자에게 **비판이 집중되도록** 만들었다.

Factory closure made the union leaders a **lightning rod** for criticism.

* lightning rod : 모든 비판이 몰리는 대상.

4. 그들은 사람들의 약점을 알아보는**데 능숙했다.**

They were **adept at** seeing the weak points of people.

* adept at : ~에 숙련된.

5. 그것은 공기업의 민영화**를 위한 길을 닦을** 것이다.

It will **pave the way for** the privatization of public enterprise.

* pave the way for : ~을 위한 길을 닦다.

6. 뉴 미디어가 **곧 등장할 것이다**.

New media is **on the horizon**.

* on the horizon : 곧 생겨날, 등장할.

7. 그들은 **거들먹거리며** 대화에 합류했다.

They came into talks **with a swagger**.

* with a swagger : 뽐내며, 거들먹거리며.

8. 억눌렸던 좌절감은 그 사고에 대한 분노**를 더하고** 있었다.

Pent-up frustration was **adding to** anger over the accident.

* add to : ~을 더하다, 증가시키다.

9. 그 합의는 **문제의 해결을 연기하는** 것이다.

The agreement is **kicking the can down the road**.

* kick the can down the road : 문제해결을 연기하다, 회피하다.

10. 그는 밀려나고 나서, 그가 **소모품** 이었다는 것을 깨달았다.

He discovered that he was **expendable** after being pushed out.

* expendable : 소모품.

제62일차

먼저 우리말을 읽고 영어표현을 생각해보세요.

1. 그는 많은 사람들을 공명시켰던 분노**를 말로 표현하였다**.

He **gave voice to** anger that resonated with many people.

* give voice to : ~을 말로 표현하다.

2. 그는 그 일**에 몸을 던졌다**.

He **threw himself into** the job.

* throw oneself into : 열성적으로 ~을 하다.

3. 세상을 바꾸고 싶다고 말하는 부자들**을 경계하라**.

Beware rich people who say they want to change the world.

* beware : ~을 경계하다, 주의하다.

4. 세상을 바꾼다는 구호를 부자와 힘있는 자들이 **차용해** 왔다.

World-changing has been **co-opted** by the rich and the powerful.

* co-opt : 남의 것을 가져와서 자신의 목적에 사용하다, 차용하다.

5. 그것은 **전적으로** 친정부적인 쇼는 아니었다.

It was not a **down-the-line**, pro-government show.

* down-the-line : 전적으로, 완전히.

6. 네가 한번만 더 **선을 넘는** 행동을 하면, 쫓겨날 것이다.

If you step **out of line** once more, you will be kicked out.

* out of line : 선을 넘는.

7. 그들은 **실패가 예정된** 여정을 시작했다.

They began an **ill-fated** journey.

* ill-fated : 실패, 불운이 예정된.

8. 그 둘은 전화로 **관계를 수습했다**.

The two **patched things up** in a phone call.

* patch things up : 틀어진 관계를 수습하다.

9. 주가가 최근에 **폭락했다**.

Stock prices have **plummeted** recently.

* plummet : 급전직하하다, 추락하다.

10. 그녀는 지식**은 말할 것도 없이**, 지혜도 가졌다.

She has wisdom, **to say nothing of** knowledge.

* to say nothing of : ~은 말할것도 없이.

제63일차

먼저 우리말을 읽고 영어표현을 생각해보세요.

1. 그는 그전의 회사에서 **해고되었**었다.

He had been **let go** from the previous company.

* let A go : A를 해고하다.

2. 그들은 젊은 유권자들로부터의 지지**를 되찾으려고** 시도했다.

They tried to **win back** support from young voters.

* win back : 잃어버린 ~을 되찾다.

3. **주머니가 두둑한** 많은 억만장자들이 그 새로운 벤처에 돈을 대었다.

Many billionaires with **deep pockets** funded the new venture.

* deep pockets : 두둑한 주머니, 많은 돈.

4. 그는 그의 재능**에 부합하는** 역할을 부여받지 못했다.

He was refused a role **commensurate with** his talents.

* commensurate with : ~에 상응하는, 부합하는.

5. 그것은 나의 전 인생을 다시 생각하게 만든 **매우 놀라운** 책이었다.

It was a **mind-blowing** book that made me rethink my entire life.

* mind-blowing : 매우 놀라운, 충격적인, 인상적인, 흥분되는.

6. **생각이 바뀌면** 알려줘.

If you **have a change of heart**, let me know.

* have a change of heart : 생각이나 태도를 바꾸다.

7. 그의 머릿속엔 훨씬 더 **긴급한** 사안들이 있었다.

He had much more **pressing** matters on his mind.

* pressing : 긴급한.

8. 그는 그 작은 희망의 신호**에도 필사적이었다**.

He was **desperate for** the tiny sign of hope.

* desperate for : ~에 필사적인, 절실한.

9. 그 수술후에 지금은 회복의 희망이 **사라졌다**.

Hopes for recovery have now been **dashed** after the operation.

* dash : 희망을 좌절시키다, 실망시키다.

10. 그는 그 둘이 같이 산다고 생각**하니 견딜** 수가 없었다.

He could not **bear to** think of the two living together.

* bear to : ~하는 것을 견디다.

제64일차

먼저 우리말을 읽고 영어표현을 생각해보세요.

1. 새로운 기계들이 발명되었을때 산업화가 **확립되었다**.

Industrialization **took hold** when new machines were invented.

* take hold : 자리를 잡다, 확립되다.

2. 그 사고는 안전문제에 대한 격렬한 논쟁을 **촉발시켰다**.

The accident **sparked** furious arguments over security issues.

* spark : ~을 촉발시키다.

3. 가족모임들이 비상사태로 인해서 **무산되었다**.

Family gatherings have been **disrupted** due to the emergency.

* disrupt : ~을 무산시키다, 중단시키다.

4. 중산층의 일자리들이 **별안간에 자취를 감출**것이다.

Middle class jobs will **vanish**.

* vanish : 갑자기, 별안간에 사라지다, 자취를 감추다.

5. 그들은 어떠한 외국의 적**과 공모하지** 않았다.

They did not **collude with** any foreign enemy.

* collude with : ~와 공모하다.

6. 그의 가족과 친구들**에게 나의 기도와 위로를 전한다**.

My prayers and condolences are with his family and friends.

* prayers and condolences are with : ~에게 기도와 위로를 전함.

7. 그들은 부인의 이별통보로 복잡다단한 이혼절차**에 바로 돌입했다**.

They **plunged into** a messy divorce as the wife gave notice to leave.

* plunge into : 갑자기 ~한 상황으로 빠지다.

8. 그는 회사 경영의 **실제적인 사항들**에 집중했다.

He focused on the **nuts and bolts** of corporate management.

* nuts and bolts : 자세한 실제적인 사항들.

9. 대부분의 회사들은 하룻밤 사이에 구글**같이 변하지**는 않을 것이다.

Most companies are not going to **turn into** Google overnight.

* turn into : ~으로 변모하다, 전환하다.

10. 가장 큰 20개의 회사들중 반이 **손실을 보았다**.

Half of the 20 biggest companies **made a loss**.

* make a loss : 손실을 보다.

제65일차

먼저 우리말을 읽고 영어표현을 생각해보세요.

1. 그는 **명목상으로**만 아니고 **실제로** 좋은 리더다.

He is a good leader **in deed** as well as **in name**.

* in deed : 사실상의, in name : 명목상의.

2. 평화와 조화가 결국에는 **지배하게** 될것이다.

Peace and harmony will in the end **prevail**.

* prevail : 우세하다, 지배적이 되다, 만연하다.

3. 그들은 수입을 늘이**기 위해 신경을 쓰고** 있다.

They are **looking to** increase their revenue.

* look to : 개선을 위해~에 대해 주목하고 신경쓰다.

4. 고위관리들은 그 상황에 대해 우려**를 표명했다**.

Senior officials **voiced** concern about the situation.

* voice : 생각하고 있는 ~을 말하다.

5. 한반도의 긴장이 **통제 불가능한 상태로 빠질** 수 있다.

Tensions on the Korean Peninsula could **spin out of control.**

* spin out of control : 통제 불가능하게 되다.

6. 미 해군단이 결의를 **보여주기 위해** 한반도로 다가왔다.

American naval group neared the peninsula **in a show of** resolve.

* in a show of : ~의 표시로서, ~을 보여주기 위해.

7. 그들은 비생산적인 창피주기로 **티격태격** 하고있다.

They are engaging in a **tit-for-tat** of unproductive putdowns.

* tit-for-tat : 티격태격, 치고받기, 상호보복

8. 상황을 **되돌릴** 수 없는 지점까지 몰고가라.

Push the situation to the point where it can't be **turned around.**

* turn around : ~을 되돌리다, 뒤돌아서게하다.

9. 그들은 그 실수에 **대한** 상응하는 **댓가를 치르게** 될것이다.

They will **pay the** corresponding **price for** the mistake.

* pay the price for : 잘못한 ~에 대한 댓가를 치르다.

10. 그는 그녀의 **꼭집어서** 하지말라는 경고에도 그것을 할 것이다.

He will do it despite **pointed** warnings by her not to do so.

* pointed : 지목하는, 지적하는.

제66일차

먼저 우리말을 읽고 영어표현을 생각해보세요.

1. 북한은 건국자의 탄생 90주년**을 기념한다.**

North Korea **marks** the 90th anniversary of the birth of its founder.

* mark : ~을 기념하다.

2. 그들은 단지 **시간을 벌고** 있을 뿐이다.

They are merely **playing for time**.

* play for time : 시간을 벌다.

3. 그녀는 다른 구성원들의 의견**을 되풀이하며**, 경고를 발했다.

She has issued a warning, **echoing** the opinion of other members.

* echo : 다른사람의 말이나 생각을 되풀이하다.

4. **마음을 정하지 않은** 많은 유권자들이 있다.

There are many **undecided** voters.

* undecided : 마음을 결정하지 않은.

5. 그 나무는 우리의 **시선**을 막고 있다.

The tree is obstructing our **line of sight**.

* line of sight : 시선.

6. 그는 지난 선거에서 **근소한 차이로** 대통령이 되지 못했다.

He **narrowly** lost the presidency in the last election.

* narrowly : 근소한 차이로, 간발의 차이로, 가까스로.

7. 그는 그것에 대해서 **자신의 길을 가기**로 결심한 상태다.

He is determined to **go his own way** about it.

* go one's own way : 자신의 길을 가다.

8. 가난이 나의 유년시절**을 결정했다**.

Poverty **dictated** my childhood.

* dictate : ~을 좌우하다, 결정하다, 영향을 끼치다.

9. 그들은 그들의 나라를 재건하는**데** 매우 **열중하고** 있다.

They are so **intent on** rebuilding their country.

* intent on : ~에 전념하다, 열중하다.

10. **걸림돌**은 언제나 그렇듯이, 핵문제이다.

The **sticking point**, as ever, is the nuclear issue.

* sticking point : 합의의 걸림돌.

제67일차

먼저 우리말을 읽고 영어표현을 생각해보세요.

1. 그는 두 정상의 역사적인 회담**을 은밀히 성사시키는** 것을 도왔다.

   He helped **engineer** the two leaders' historic summit.

   * engineer : 은밀히 능숙하게 ~을 꾀하다.

2. 나는 그를 만난다**면 영광일 것이다**.

   I will be **honored to** meet him.

   * honored to : ~을 하여 영광이다.

3. 남한은 북한과의 협상에서 **배제될** 수 없다.

   South Korea cannot be **sidelined** in the deals with the North.

   * sideline : ~을 역할에서 배제하다.

4. 반대운동은 만연한 부패에 대한 좌절감**을 활용하였다**.

   The protests **tapped into** frustration over pervasive corruption.

   * tap into : ~에 접근하여 활용하다.

5. 정부가 어떻게 운영되**는지** 충분히 **주의깊게 감시하라**.

Keep a close enough **watch on** how the government is run.

* keep a close watch on : ~에 대해 면밀히 주시하다, 감시하다.

6. 그 팀은 4게임을 **연속해서** 패배했다.

The team has lost four games **in a row**.

* in a row : 연속해서.

7. 회사에서 그의 **성공으로의 전환점**은 몇년 이후에 찾아왔다.

His **big break** at the company came several years later.

* big break : 전기, 성공으로의 전환점, 돌파구.

8. 그 의혹들에 대한 조사가 **진행중이다**.

An investigation into the allegations is **underway**.

* underway : 진행중인.

9. 인터뷰 **중에** 그녀는 질문들에 대해 마음이 편치 않았다.

In the course of the interview, she felt uneasy with the questions.

* in the course of : ~ 하는 중에.

10. 음주운전으로 그는 친구를 **잃었다**.

Drunk driving **cost** him his friend.

* cost A B : A가 B를 잃게 하다.

제68일차

먼저 우리말을 읽고 영어표현을 생각해보세요.

1. 기술 기업들은 **허리띠를 졸라매고** 직원들을 해고하고 있다.

Tech companies are **tightening their belts** and laying off staff.

* tighten one's belt : 허리띠를 졸라매다.

2. 그들은 허름한 집에서 살아**야 하는 처지가 되었다**.

They were **reduced to** living in the shabby house.

* reduced to : 이전보다 좋지 않은 ~한 처지가 되다.

3. **대체적으로** 그는 그의 선생이 조언한대로 하였다.

By and large, he has done as his teacher advised.

* by and large : 대체적으로.

4. 그들의 결정은 절대적으로 **우스꽝스러운** 것이다.

Their decision is absolutely **ridiculous**.

* ridiculous : 바보같은, 우스꽝스러운, 놀림감이 될만한.

5. 그들은 사무실 근무의 **긍정적인 면**을 다시 발견했다.

They rediscovered an **upside** of office work.

* upside : 긍정적인 면.

6. 그 연구는 원격근무의 **부정적인 면**을 증명하였다.

The research demonstrated the **downside** of remote work.

* downside : 부정적인 면.

7. **대면** 면담에는 많은 무형의 혜택들이 있다.

In-person interview has many intangible benefits.

* in-person : 실제로 만나서, 대면접촉하의.

8. 많은 고용주들은 **최종적으로** 복합적인 해결안을 **선택하였다**.

Many employers have **landed on** a hybrid solution.

* land on : 최종적으로 ~을 선택하다.

9. 그 논문은 그 접근방식**에 대해 의문을 제기한다**.

The paper **calls** the approach **into question**.

* call A into question : A에 대해 의문을 제기하다.

10. 그들은 대단한 일을 했기에, 그 집단 내에서의 **기대수준을 높였다**.

They did a great thing so they **raised the bar** in the group.

* raise the bar : 기준을 높이다, 기대되는 수준을 높이다.

제69일차

먼저 우리말을 읽고 영어표현을 생각해보세요.

1. 비판**에 영향받지 않는** 사람은 없다.

No one is **immune to** criticism.

* immune to : ~에 면역이된, 영향을 받지 않는.

2. 많은 사람들이 그의 최근의 행동에 대해서 **거부감을 보였다**.

Many people **raised eyebrows** at his latest act.

* raise eyebrows : 놀라다, 거부감을 보이다.

3. 그녀는 그 책에 대한 그녀의 아이디어를 새로운 모험**에 비유했다**.

She **likened** her idea for the book **to** a new adventure.

* liken A to B : A가 B와 비슷하다고 말하다. 비유하다.

4. 그는 그 분쟁에 대해 언어적인 어려움 **탓을 한다**.

He **blames** language difficulties for the conflict.

* blame : ~을 탓하다.

5. 그의 마음은 주목을 받으려는 욕망에 의해 **흐려졌다**.

His mind has been **clouded** by a desire for attention.

* clouded : 흐려진, 혼란해진.

6. 그들은 그 회의론을 **의식하고** 있었다.

They were **mindful of** the skepticism.

* mindful of : ~을 의식하다, 염두에 두다.

7. 그녀는 언론의 **많은** 주목**을 받았다**.

She was **showered with** media attention.

* showered with : 대량의 ~을 받다, ~세례를 받다.

8. 많은 사람들이 엘리트들**에 환멸을 느끼게** 되었다.

Many people became **disenchanted with** elites.

* disenchanted with : ~에 환멸을 느끼다.

9. 나는 20대 동안 학교**로부터 유리된** 상태였다.

I was **disengaged from** school during my twenties.

* disengaged from : ~부터 이탈된, 유리된, 관여하지 않는.

10. 현대인들은 성공이라는 신화**에** 너무 **사로잡혀있다**.

Modern people are so **obsessed with** the myth of success.

* obsessed with : ~에 사로잡힌, 빠져있는.

제70일차

먼저 우리말을 읽고 영어표현을 생각해보세요.

1. 그 인터뷰는 언론으로 부터의 **잠시 한바탕의** 관심을 유발했다.
   The interview led to **a flurry of** media attention.
   * a flurry of : 잠시 한바탕 부산하게 벌어지는 ~들.

2. 연설행사에의 초대는 그녀 수입**의** 50%**를 차지하고 있다**.
   Invitations for speaking events **make up** 50% **of** her income.
   * make up A of B : B에서 A만큼의 비중을 차지하다, 이루고 있다.

3. 그녀의 이야기는 **나에게** 그다지 **진실처럼 들리지** 않는다.
   Her story doesn't quite **ring true to** me.
   * ring true to : ~에게 진실처럼 보이다, 들리다.

4. 전쟁 사망자들**을 길게 생각하기** 보다 라떼를 주문하는 것이 더 쉽다.
   It is easier to order a latte than **dwell on** lost lives in the war.
   * dwell on : ~에 대해 길게 생각하거나 말하다.

5. 그는 전쟁이라는 우리의 가장 최악의 두려움**을 이용해 먹어**왔다.

He has **played on** one of our worst fears - war.

* play on : 사람의 약점, 감정등의 ~을 이용하여 이득을 취하다.

6. 우리 사무실에는 **입이 거친** 사람들이 많다.

There are many **foul-mouthed** people in my office.

* foul-mouthed : 무례하고 공격적인 말을 하는.

7. 그는 제안된 계획을 **미봉책**으로 본다.

He sees the suggested plan as only **half-measures**.

* half-measures : 미봉책, 땜빵처리.

8. 선동가들은 대통령의 인기**를 조금씩 깍아먹어** 왔다.

Propagandists **chipped away at** the president's popularity.

* chip away at : ~을 조금씩 깍아먹다, 갉아먹다.

9. 마지막 순간의 개입이 그**에게** 쓰라린 패배**를 면하게 할**지도 모른다.

A last-minute intervention might **spare** him a bitter defeat.

* spare A B : A가 좋지 않은 B를 겪는 것을 면하게 하다.

10. 그 반란은 **오래가지 못했다**.

The mutiny was **short-lived**.

* short-lived : 오래가지 못한.

제71일차

먼저 우리말을 읽고 영어표현을 생각해보세요.

1. 그는 큰 잔치로 그의 생일을 **마무리지었다.**

He **topped off** his birthday with a big party.

* top off : ~을 완성하다, 마무리짓다. 대미를 장식하다.

2. 그의 반란은 **구석에 몰린** 자의 필사적인 행동이었다.

His revolt was a desperate act of someone who was **cornered.**

* cornered : 구석에 몰리다.

3. 그 전투의 중요성은 언론에 의해 **부풀려졌다.**

The importance of the battle has been **played up** by media.

* play up : ~을 부풀리다, 과장하다.

4. 그는 **그가 원하는 조건**으로 협상을 타결하려 하는것으로 보인다.

He appears to attempt to reach a deal **on his terms.**

* on one's terms : ~가 결정한 조건으로.

5. 그의 정치가로서의 **위상**이 높아지고 있었다.

His own **stature** as a politician was growing.

* stature : 위상, 중요도.

6. 그 독재자는 아직도 정부**를 통제하고 있다**.

The dictator still **has a hold on** the government.

* have a hold on : ~에 통제력을 가지다.

7. 엔지니어**에서** 기업가**로 변신한** 그는 새로운 제품을 출시했다.

He, an engineer **turned** entrepreneur, has launched a new product.

* A turned B : A에서 B가 된

8. 그들은 무장반란**을 일으켰다.**

They **mounted** an armed insurrection.

* mount : ~한 활동을 일으키다.

9. 그녀의 결정**을 결과론적으로 비판하기**는 쉽다.

It is easy to **second-guess** her decision.

* second-guess : ~을 결과론적으로 비판하다.

10. 중앙은행은 매우 재빨리 **입장을 뒤집었다**.

The central bank was very quick to **reverse course**.

* reverse course : 반대방향으로 의견,입장을 바꾸다.

제72일차

먼저 우리말을 읽고 영어표현을 생각해보세요.

1. 그는 그 합의**에 순순히 따르지** 않았다.

He was not **amenable to** the agreement.

* amenable to : ~을 따르는, 순응하는

2. 그 조항은 입법부에 부여된 역할**을 침해하지** 않는다.

The clause does not **intrude upon** the role reserved to the legislature.

* intrude upon : ~을 침해하다, 침범하다.

3. 정치적인 불확실성**으로부터** 시장을 **보호하는** 것은 성공적이었다.

It was successful to **insulate** the market **from** political uncertainty.

* insulate A from B : B로부터 A를 절연, 방음, 방열하다, 보호하다.

4. 행정부는 입법부의 권한**을 월권하였다**.

The administration **arrogated to itself** the power of the legislature.

* arrogate to oneself : ~에 대해 월권을 하다.

5. 우리는 다른사람들에 뒤지지 않으려는 욕망**에** 크게 **휘둘린다**.

We are heavily **driven by** the desire to keep up with other people.

* driven by : 감정이나 욕망에 휘둘리다.

6. 그 경험은 **돌아보면** 멋진 것이었다.

The experience was wonderful **in retrospect**.

* in retrospect : 돌이켜보면.

7. 행복은 건강**에 도움이 되는** 것처럼 보인다.

Happiness appears to be **conducive to** health.

* conducive to : ~을 잘 일어나게 하는, ~에 도움이 되는.

8. 자기 비판은 당신이 몇몇 실수들**을 피하게 할** 것이다

Self-criticism will **save** you **from** some mistakes.

* save A from B : ~A가 B를 면하게 하다, 피하게 하다.

9. 그들은 난민들**을** 두려움과 의심**의 눈으로 바라보았다**.

They **looked on** the refugees **with** fear and suspicion.

* look on A with B : B의 방식으로 A 를 바라보다.

10. 대법원은 그 입학절차**를 철폐하라고** 판결하였다.

The Supreme Court ruled to **strike down** the admissions program.

* strike down : 법이나 규정을 철폐하다.

제73일차

먼저 우리말을 읽고 영어표현을 생각해보세요.

1. 그는 언제나 **특별히 신경써서** 모든 이들에게 인사**를 한다.**

He always **makes a point of** greeting everybody.

* make a point of : 특별히 관심과 신경을 써서 ~을 하다.

2. 그녀는 흥분**에** 완전히 **휩쓸리지**는 않았다.

She was not completely **carried away by** the excitement.

* carried away by : ~에 휩쓸려서 통제력을 잃다.

3. 그들은 단지 그런 말도 안되는것**을 용인하지** 않았다

They just didn't **hold with** such nonsense.

* hold with : ~을 용인하다.

4. 그녀는 신문을 공부하며 읽기**를 독학했다.**

She **taught herself to** read by studying newspapers.

* teach oneself to : ~을 독학으로 공부하다.

5. 그는 그 작은 소녀**에게서** 거의 **눈을 뗄** 수가 없었다.

He could hardly **take his eyes off** the small girl.

* take one's eyes off : ~에게서 눈길을 떼다, 보기를 중단하다.

6. 그들은 **다리를 풀기** 위해 차에서 내렸다.

They got off the car to **stretch their legs**.

* stretch one's legs : 다리를 풀기위해 짧게 걷다.

7. 그는 무언가를 말하고 싶었으나, **하지 않기로 했다**.

He wanted to say something but **thought better of it**.

* think better of it : 하려고 하다가 안하는게 좋다고 생각을 바꾸다.

8. 거리의 사람들은 그녀를 **입을 쩍 벌리고** 바라다보았다.

People in the street gazed at her **open-mouthed**.

* open-mouthed : 놀라서 입을 쩍 벌리고.

9. 여분의 수입은 더 큰 지출에 의해 **상쇄되었다**.

The extra income has been **canceled out** by greater expense.

* cancel out : ~을 상쇄하다.

10. 낙태발생률은 1950년에 비해 아직도 **크게** 높은 수준이다.

Abortion is still **way** above its level in the 1950s.

* way : 크게, 아주 많은 정도로.

제74일차

먼저 우리말을 읽고 영어표현을 생각해보세요.

1. 나는 그러한 일에 **엮이고** 싶지 않다.

I don't want to **get mixed up** in that kind of thing.

* get mixed up : 좋지 않은 일에 연루되다.

2. 당신 부인을 걱정시키는 것**은 쓸데없는 일**이다.

There is no point in worrying your wife.

* There is no point in : ~하는것은 쓸데없는 일이다.

3. 그는 여동생**에게** 방해하지 말라고 **퉁명스럽게 말했다**.

He **snapped at** his sister not to disturb him.

* snap at : ~에게 퉁명스럽게, 화난목소리로 말하다.

4. 그는 **마음을 가라앉히려**고 시도하며, 방에 들어섰다.

Trying to **pull himself together**, he entered the room.

* pull oneself together : 마음을 가라앉히다.

5. 그는 고조되는 긴장을 해소**하려는 시도로서** 중국을 방문했다.

He visited China **in a bid to** ease soaring tensions.

* in a bid to : ~을 이루려는 시도로서.

6. 미국은 중국**이** 이자율을 올리**도록 압박해**왔다.

The US has been **pressing** China **to** raise interest rates.

* press A to B : A에게 B를 하도록 압박하다.

7. 나는 결정을 내리는 것**을 회피할** 의도는 없었다.

I had no intention of **shying away from** making decisions.

* shy away from : 무섭거나 자신없어서 ~을 회피하다.

8. 그는 그다음에 무엇을 해야할지 **어찌할 줄 몰랐다**.

He was **at a loss** for what to do next.

* at a loss : 어찌할 줄을 모르다.

9. 나는 54세이지만 40세**로도 통할** 수도 있을것 같다.

I am 54 but could **pass for** 40.

* pass for : ~로 여겨지다, 받아들여지다, 통하다.

10. 많은 학생들은 **최신기종의** 랩탑을 구매하는 경향이 있다.

Many students tend to buy **state-of-the-art** laptops.

* state-of-the-art : 가장 첨단의, 가장 최신의 기술로 이루어진

제75일차

먼저 우리말을 읽고 영어표현을 생각해보세요.

1. 나는 그집의 월세를 **감당 할 수** 없다.

I **can't afford** the rent of the house.

* can afford : ~의 비용을 지불할 충분한 돈이 있는.

2. 당신의 개인적인 문제는 기후변화 이슈에 **비하면 작아 보인다**.

Your private problem is **dwarfed** by the issue of climate change.

* dwarf : ~이 작게 보이게 만들다.

3. 그 경기의 결과가 너에게는 왜 그렇게 **중요하니**?

Why does the result of the game **matter** so much to you?

* matter : 중요하다.

4. 리더에게 우리문제의 해결을 기대하는 유혹은 **깊게 뿌리박혀 있다**.

The temptation to look to a leader to fix our problem **runs deep**.

* run deep : 강하고 깊히 뿌리박혀있다.

5. 좋은 지도자는 가장 똑똑한 전문가들**을 찾아내어**야 한다.

A good leader should **seek out** the smartest specialists.

* seek out : ~을 찾아내다.

6. 그는 그것을 **그 상태로 두고만 있지**는 않았다.

He didn't **leave it at that.**

* leave it at that : 그상태로 그대로 두고 더이상 관여하지 않다.

7. 그로 **하여금** 명확한 수치**를 대라고 강제하기**는 힘들었다.

It was difficult to **pin** him **down on** definite figures.

* pin A down on B : A로 하여금 명확한 B를 발언, 결정케 강제하다.

8. 너는 **모든것을 갖추었어**!

You've **got everything going for** you!

* get everything going for A : A가 갖출것, 좋은 조건을 다 가지다.

9. 그들은 **조건이 충족될**때 당신이 합류하도록 초대할 것이다.

They will invite you to join when **conditions are met.**

* conditions are met : 조건이 충족되다.

10. 그들은 그들의 전략을 **180도 전환**했다.

They've done an **about-face** in their strategy.

* about-face : 입장이나 방향의 180도 전환

제76일차

먼저 우리말을 읽고 영어표현을 생각해보세요.

1. 그는 무슨일이 벌어질지 기다리면서 단지 **옆으로 빠져** 있었다.

He just remained **on the sidelines** waiting to see what would happen.

* on the sidelines : 참여하지 않는.

2. 지금은 원격근무를 **강화할** 때다.

Now is the time to **double down on** remote work.

* double down on : 더욱 단호하고 열심히 ~에 전념하다.

3. 그의 노력은 아무런 손에 잡히는 **성과를 거두지** 못했다.

His effort did not **bear** any tangible **fruit**.

* bear fruit : 결실을 맺다, 성과를 거두다.

4. **다른 한편으로**, 나는 그 시절동안 완벽한 휴식을 취할 수 있었다.

On the flip side, I could take a complete rest during the period.

* on the flip side : 다른 한편으로, 반면에, 이면에.

5. 그녀는 동료들**과 거리를 두었다**.

She has **kept** her colleagues **at arm's length**.

* keep A at arm's length : A와 거리를 두다.

6. 당신은 나아지겠다는 **일념으로** 연습해야 한다.

You should practise **single-mindedly** with the intent to get better.

* single-mindedly : 하나의 목표에 집중하여.

7. 연구자들은 우주의 기본 구성단위**에 대해 최종적으로 합의하였다**.

Researchers have **settled on** what is the basic unit of the universe.

* settle on : 최종적으로 선택하다,합의하다.

8. 그는 그의 많은 나이를 **대수롭지 않게 취급**하려 하였다.

He tried to **make light of** his old age.

* make light of : ~이 중요치 않거나 대수롭지 않은 듯 취급하다.

9. 60살이 되었다는것이 당신이 **한물갔다**는 것을 의미하지는 않는다.

Being 60 does not mean you are **over the hill**.

* over the hill : 나이가 들어 쓸모없어진, 퇴물이된.

10. 그녀는 **노련한** 아시아전문 여행기자이다.

She is a **seasoned** travel journalist specializing in Asia.

* seasoned : 노련한, 경험많은

제77일차

먼저 우리말을 읽고 영어표현을 생각해보세요.

1. 그의 사업은 몇년 안에 크나큰 기업으로 **급격히 성장했다.**

His business **mushroomed** into a huge enterprise in a few years.

* mushroom : 급격히 커지다.

2. 우리는 민주주의가 위기에 처해 있다는것을 **뼈속깊이** 알고 있다.

We know **in our bones** our democracy remains at risk.

* in one's bones : 뼛속깊이.

3. 그는 그의 시험점수에 대해 **태연하게** 말했다.

He talked about his test score **matter-of-factly.**

* matter-of-factly : 감정을 섞지 않고, 담담하게.

4. 그들의 조치는 붕괴로 인한 피해의 **확산을 억제하였다.**

Their action **contained** the damage from the collapse.

* contain : 확산을 억제하다.

5. 주가가 회복**될 테세다**.

Stock prices are **poised to** recover.

* poised to : ~할 테세인.

6. 정부는 거의 사용하지 않던 규제권한**을 발동하였다**.

Government **invoked** rarely used regulatory authority.

* invoke : 법, 권한, 권리등을 발동하다.

7. 감독관들은 **입을 굳게 다문** 상태였다.

Regulators remained **tight-lipped**.

* tight-lipped : 입을 굳게 다물고 말하지 않다.

8. 그 은행은 자본유입을 통해 재정건전성**을 강화하였다**.

The bank has **shored up** its balance sheet with a capital infusion.

* shore up : ~을 강화하다.

9. 우리는 그것**에 대해 한번더 살펴보기**로 결정했다.

We decided to **take a second look at** that.

* take a second look at : ~에 대해 한번 더 살펴보다.

10. 그녀는 그만둬도 **될만한 형편인**지를 자문했다.

She asked herself whether she **could afford to** quit.

* can afford to : ~할 충분한 돈/능력이 되다.

제78일차

먼저 우리말을 읽고 영어표현을 생각해보세요.

1. 갑작스런 경기하락은 그 회사를 **불안정하게** 만들었다.
Sudden economic downturn caused the company to **lose its footing**.
* lose one's footing : 비틀거리거나 쓰러지다, 안정성을 잃다.

2. 기술기업들의 인원 해고들 이후 경제는 **불안한 상태**이다.
Economy is **on edge** after tech. companies' layoffs.
* on edge : 긴장되는, 불안한.

3. 평가를 **생략하는** 그 결정은 문제를 일으킬 수 있다.
The decision to **forgo** an assessment could lead to problems.
* forgo : ~를 포기하다, 생략하다.

4. 산업의 표준들은 혁신을 **억누르고** 있었다.
Industry standards were **stifling** innovation.
* stifle : 질식시키다, 억누르다.

5. 그는 그들에게 환불하여 준다는 그의 약속**을 이행하지 않았다**.

He **reneged on** his promise of giving them a refund.

* renege on : ~을 이행하지 않다.

6. 당신은 컴퓨터 프로그래밍에 대해서 **실제적인 경험**을 가지고 있다.

You have **hands-on experience** in computer programming.

* hands-on experience : 직접적인, 실제적인 경험.

7. 그 계약은 특정조건들을 충족하느나**에 달려있다**.

The contract is **contingent on** the fulfillment of certain conditions.

* contingent on : ~에 달린, 의존하는.

8. 그는 그의 아버지의 이름**을 이용하여 돈을 벌고** 있었다.

He was **cashing in on** his father's name.

* cash in on : ~을 이용하여 돈을 벌다, 이득을 취하다.

9. 그 사고는 정부로 **하여금** 원인을 조사**하도록** 만들었다.

The accident **prompted** the government **to** investigate the cause.

* prompt A to B : A로 하여금 B를 하게 하다.

10. 그 사고는 일본여행 유행**에 찬물을 끼얹을** 것이다.

The accident would **put a damper on** the trend of traveling to Japan.

* put a damper on : ~에 찬물을 끼얹다, 흥을깨다, 위축시키다.

제79일차

먼저 우리말을 읽고 영어표현을 생각해보세요.

1. 이것은 우리의 우주에 대한 **난해한** 발견이다.

This is a **mind-bending** finding about our universe.

* mind-bending : 매우 이해하기가 힘든, 혼란을 주는.

2. 그들은 그 새로운 책에대한 기대로 며칠간 **떠들썩했다**.

They have been **buzzing** for days in anticipation of the new book.

* buzz : 흥분에 차서 떠들석하다.

3. 그 언급들은 매우 **현명치 못한** 것이다.

The remarks are very **ill-advised**.

* ill-advised : 현명치 못한, 문제의 소지가 있는.

4. 그러한 조치는 그 회사의 전세계 수익을 **위험에 처하게 할** 것이다.

Such a move will **put** the company's global revenue **at risk**.

* put A at risk : A를 위험에 처하게 하다.

5. 혹독한 방첩법이 토요일에 **발효되었다**.

A stringent counterespionage law **took effect** on Saturday.

* take effect : 법이 발효되다.

6. 우리는 그점을 정부의 몇몇 인사들에게 **설파하였다**.

We **made** that **point** to several members of the government.

* make point : 주장하다, 설파하다.

7. 연방준비위원회는 인플레이션**을 낮추려**고 한다.

The Federal Reserve tries to **tamp down** inflation.

* tamp down : ~을 줄이다, 낮추다, 억누르다.

8. 그 강제송환은 범죄**와 같다**.

The forced repatriation is **tantamount to** crime.

* tantamount to : ~과 거의 같은 정도로 나쁜.

9. 그녀는 선발과정에 대하여 **공식적으로 불만을 제기하였다**.

She has **filed a complaint** about the selection procedure.

* file a complaint : 공식적으로 불만을 제기하다.

10. 우리는 사생활에 대한 위협을 관리할 방법**을 찾아내려** 한다.

We are trying to **figure out** how to manage threats to privacy.

* figure out : 문제를 이해하다, 답을찾다, 해결하다.

제80일차

먼저 우리말을 읽고 영어표현을 생각해보세요.

1. 경찰은 반대자들에 대해 **강압적인** 수단을 사용했다.

The police have used **heavy-handed** tactics against protesters.

* heavy-handed : 고압적인, 강압적인, 가혹한

2. 그는 조기퇴직이라는 **상황에 성공적으로 대처하였다**.

He **rose to the occasion** of early retirement.

* rise to the occasion : 어려운 상황에 성공적으로 대처하다.

3. 계획하던지 아니면 **운에 맞기는** 것 중에 어떤것이 나은가?

What is better, planning or **leaving things to chance**?

* leave things to chance : 운에 맞기다.

4. **내가 아는 한에서는**, 그는 그것에 대해서 언급을 하지 않았다.

To the best of my knowledge, he did not make comments on it.

* to the best of one's knowledge : ~가 아는 한에서는.

5. 그 계획이 성공할 지는 오직 **시간**만**이 말해줄 것이다**.

Only **time will tell** if the plan will succeed.

* time will tell : 시간이 말해주다, 시간이 지나봐야 알 수 있다.

6. 한사람이 재빨리 나머지**보다 월등하게** 될것이다.

One man will quickly **stand head and shoulder above** the rest.

* stand head and shoulder above : ~보다 훨씬 더 나은, 월등한.

7. 그는 지지도가 역대급으로 높은 대통령**에 맞선다**.

He **takes on** a president whose approval ratings are historically high.

* take on : ~에 맞서다, 대적하다.

8. 대통령에 대한 범죄수사가 다시 **힘을 얻게 되었다**.

The criminal investigation of the president has been **given new life**.

* give A new life : A에게 새 생명을 주다, 다시 활기를 주다.

9. 경제에서의 실패들은 급격한 발전**과 긴밀히 연결되어 있다**.

Failures in the economy **go hand in hand with** rapid development.

* go hand in hand with : ~와 긴밀하게 연결되어 있다.

10. 외국인들은 일자리를 찾아 오지만, **막장**에 이르고 만다.

Foreigners come to work, but find **dead ends**.

* dead ends : 막다른 길, 좋아질 희망이 없는 상태.

제81일차

먼저 우리말을 읽고 영어표현을 생각해보세요.

1. 보수적**인 생각들만 접하는 것**을 탈피하라.

Break out of the conservative **echo chamber**.

* echo chamber : 자기 생각과 비슷한 것만 듣고, 강화되는 상황.

2. 나는 거기 바닥위에서 **탄원하고** 있었다.

I was down there **in supplication** on the floor.

* in supplication : 신이나 유력자에게 겸손히 탄원하는.

3. **일이 벌어진 후에** 문제를 해결하는 것은 더 어렵다.

Solving the problem **after the fact** is more difficult.

* after the fact : 일이 벌어진 후에, 사후에.

4. 소득을 두고 경쟁하는것은 **자기 패배적인** 것이다.

The rivalry about income is **self-defeating**.

* self-defeating : 자멸적인, 자기 패배적인.

5. 그의 농담은 **뼈를 때렸다**.

His joke **cut close to the bone**.

* cut close to the bone : 불편할 정도로 날카롭고 정곡을 찌르다.

6. 그의 발언은 두나라**의 유사점을 보여주었다**.

His remark **drew parallels between** the two countries.

* draw parallels between : 둘간의 유사점 을 보여주다.

7. 그들은 통상적인 과정**을** 확실히 **단축시켜** 진행할 것이다.

They will definitely **short-circuit** the typical process.

* short-circuit : ~ 과정을 단축하다.

8. 그는 **자기자신을** 개발도상국들의 지도자**로 자처한다**.

He **casts himself as** a leader of the developing world.

* cast oneself as : 자기자신을 ~으로 자처하다, ~으로 묘사하**다.**

9. 상황이 **나빠지고** 있다.

Things are **going downhill**.

* go downhill : 악화되다.

10. 우리는 그 작동원리에 **대해서** 자세히 **캐봐**야 한다.

We have to **delve** closely **into** the mechanism.

* delve into : ~을 조사하다, 캐다, 파다.

제82일차

먼저 우리말을 읽고 영어표현을 생각해보세요.

1. 사회적인 비교는 **가까이 있는** 사람들간에 이루어진다.

Social comparisons are made **at close quarters**.

* at close quarters : 근접한.

2. 시장에서는 변이와 선택이 **작동하고 있다**.

In a market, variation and selection are **at work**.

* at work : 작동하다.

3. 사람들은 지혜를 전달한다**고 칭해지는** 책들을 산다.

People buy books **purporting to** convey the wisdom.

* purport to : ~을 한다고 주장하나 실제로는 아닌, ~로 칭해지는.

4. 그것은 불교신자들이 **집중을 유지**하도록 돕는데 사용된다.

It is used to assist Buddhists in **staying focused**.

*stay focused : 집중을 유지하다.

5. 종이 울리면 당신은 멈춰**야 한다**.

You are **meant to** pause when the bell rings.

* meant to : ~을 해야 한다.

6. 누구도 가난한 사람들**에게** 고통**을 가할** 권리는 없다.

No one has the right to **inflict** pain **on** the poor.

* inflict A on B : B에게 A라는 고통, 피해 등을 가하다.

7. 이것이 그점**을 이해시킬** 가장 좋은 방법이다.

This is the best way to **get** the point **across**.

* get A across : A를 이해시키다, 의사소통을 잘 시키다.

8. 그들은 예상치 못한 인터넷의 출현**에 맞딱뜨렸다**.

They were **caught unawares by** the internet

*A catch B unawares : B가 예상치 못하게 A가 일어나다.

9. 늦어지고 있지만 우리는 **돌아가**서는 안된다.

It's getting late but we should not **turn back**.

* turn back : 왔던길로 되돌아가다.

10. 나의 남편은 아직도 나의 안내자이자 **골칫거리**이다.

My husband is still my lighthouse and my **albatross**.

* Albatross : 마음속의 걱정거리, 골칫거리.

제83일차

먼저 우리말을 읽고 영어표현을 생각해보세요.

1. 나는 두려움**에** 전적으로 **사로잡혔다**.

I was utterly **consumed with** dread.

* consumed with : ~에 사로잡히다.

2. 나는 당신의 제안**을 사양하기** 원한다.

I wish to **excuse myself from** your offer.

* excuse oneself from : 의무나 상황을 사양하다.

3. 그는 10,000시간의 연습으로 **실력을 본 궤도에 올릴** 수 있다.

He can **hit his stride** with 10,000 hours' practice.

* hit one's stride : 본궤도에 오르다, 숙달된 상태가 되다.

4. 1960년대**가 되어서야** 해결책이 나타**났다**.

It wasn't until the 1960s **that** a solution emerged.

* It was not until A that B : A가 되어서야 B하다.

5. 그는 **장기적인 안목을 가진** 학교에 우연히 입학했다.

He happened to go to a **far-sighted** school.

* far-sighted : 멀리보는, 장기적인 비전을 가진.

6. 내가 절도로 **문제를 일으켰던** 시기가 있었다.

There was a period when I **got in trouble** for stealing.

*get in trouble : 벌을 받을 수 있는 문제를 일으키다.

7. 그 작업은 허락이 떨어지면 **본격적으로** 시작될것이다.

The task will begin **in earnest** if given a green light.

* in earnest : 본격적으로.

8. **자기만 생각하지 말고**, 불평을 그쳐라.

Just **get over yourself** and quit complaining.

* get over oneself : 자기중심, 자기자신에 빠져있는것을 벗어나다.

9. 그는 사업**을 시도해보기** 위해 대학을 중퇴했다.

He dropped out of college to **try his hand at** his company.

* try one's hand at : ~을 처음으로 시도하다.

10. 그 학교는 엘리트 집안들**의 요구를 만족시켜주는** 사립학교였다.

It was a private school that **catered to** elite families.

*cater to : ~의 요구를 만족시키다, 맞춰주다.

제84일차

먼저 우리말을 읽고 영어표현을 생각해보세요.

1. 이러한 생태계들**에 어떠한 일이 일어날지** 아무도 모른다.

   Nobody knows **what** will **become of** these ecosystems.

   * what becomes of A : A에게 어떤일이 일어나다.

2. 단기적인 경제적 이익이 모든것 **보다 중요해진다**.

   Short-term economic interests **override** everything.

   * override : ~ 보다 중요하다, 우세하다.

3. 스마트폰에 시간을 보낼수록 사람들간의 비교심리**가 커진다**.

   Hours spent on smart phones **fuel** mutual comparisons.

   * fuel : 느낌이나 행동을 증대시키다,강하게 하다.

4. 그는 **단지 재미로** 하루종일 그 모자를 쓰고있었다.

   He kept the hat on all day long just **for the heck of it**.

   * for the heck of it : 아무 목적없이 재미로만.

5. 나는 **무슨일이 일어날지 잘 알고** 그 과제를 떠맡았다.

I undertook the task **with my eyes wide open.**

* with one's eyes wide open : 생길 수 있는 모든 문제들을 잘 아는

6. 그것을 **만지작거리기** 시작하기 전에 설명서를 읽어라.

Read the instructions before you start **messing with** it.

* mess with : 말썽이 생길수 있는 물건이나 사람을 집적거리다.

7. 그 영화의 성공은 **입소문**에 힘입은 것이다.

The film's success has been due to **word-of-mouth.**

* word-of-mouth : 입소문,구전.

8. 상황이 **전반적으로 이해되기 시작했다.**

Every puzzle piece **fell into place.**

* fall into place : 요소들이 잘 맞아떨어지다, 이해되기 시작하다.

9. 러시아는 **단호하게** 개전을 **결심한** 것으로 보였다.

Russia seemed to be **hell-bent on** starting a war.

* hell-bent on : 단호하게 ~을 결심한, 혈안이된.

10. 이제 **호들갑을** 그만 **떨어**라.

Now do stop **fussing around.**

* fuss around : 호들갑을 떨다, 안달하다.

제85일차

먼저 우리말을 읽고 영어표현을 생각해보세요.

1. 나는 밤새 **뒤척이며 잠을 이루지 못했다.**

I **tossed and turned** all night.

* toss and turn : 뒤척이다.

2. **다음기회를 기약해**도 될까?

Is it ok if we **take a rain check**?

* take a rain check : 다음 기회를 기약하다.

3. 최고의 예술가들은 언제나 우리를 **긴장하게 만든다.**

The very best artists always **keep** us **on our toes.**

* Keep A on one's toes : A가 긴장하게 하다, 방심하지 않게하다.

4. 그는 **멋진 모습으로** 돌아왔다.

He came back **in style.**

* in style : 멋진, 경탄스러운, 존경스러운 모습으로.

5. 그 두나라는 어떠한 **공통의 이해도 찾지** 못할 것이다.

The two countries will not **find** any **common ground**.

* find common ground : 공통의 이해관계, 의견을 찾다.

6. 그 후보자는 **끝까지 완주할** 것을 다짐했다.

The candidate vowed to **stay the course**.

* stay the course : 어려움에도 불구하고 끝까지 완주, 완료하다.

7. 그 법은 재능있는 사람들과 자본을 유출시키는 **역효과를 내었다**.

The law **backfired** by driving away talent and capital.

* backfire : 역효과를 내다.

8. **비가오던 눈이오건** 나는 9시에는 도서관에 있다.

Come rain or shine, I'm at the library by 9 o'clock.

* come rain or shine : 비가오던 눈이오던, 어떤일이 있던.

9. 사람들**을 서로 싸우게 하는** 것들을 배우지 마라.

Do not learn the things that **pit** people **against** people.

* pit A against B : A와 B가 서로 싸우게 하다, 경쟁하게하다.

10. 그는 그 교회를 위해 그림을 그리**도록 위촉되었다**.

He was **commissioned to** paint a picture for the church.

*commission A to B : A에게 B를 하도록 의뢰, 위촉하다.

제86일차

먼저 우리말을 읽고 영어표현을 생각해보세요.

1. 나는 내가 **땡땡이를 치는** 것처럼 느꼈다.

I felt like I was **playing hooky**.

* play hooky : 땡땡이를 치다.

2. 그는 모든 아이들이 **공감할** 수 있는 소설을 쓴다.

He writes novels that all children can **relate to**.

* relate to : ~을 이해하다, 공감하다.

3. 우리는 우리의 요구**에 맞춰진** 챗봇을 보게 될것이다.

We'll see chatbots that are **tailored to** our needs.

* tailored to : ~에 맞춤형의.

4. 나는 그들**을 너무나도 사랑한다**.

I **love** them **to pieces**.

* love A to pieces : A를 너무나도 사랑하다.

5. 나는 심한 흡연자들과 함께 자라**는 것이 어떤 것인지**를 안다.

I know **what it is like to** grow up with heavy smokers.

* what it is like to A : A하는 것은 어떤것과 같은지.

6. **같은 맥락에서** 나는 그것에 당신이 주목하게 하고자 한다.

In the same vein, I would like to draw your attention to it.

* in the same vein : 같은 맥락에서.

7. 그 길은 덫과 함정**으로 가득차있다**.

The path is **riddled with** traps and pitfalls.

* riddled with : ~로 차 있다.

8. 아이들은 **술래잡기를 했다**.

Children **played tag**.

* play tag : 술래잡기 하다.

9. 그것은 **그의 능력을 넘어선** 어떤 것이다.

It's something that is **beyond his reach**.

* beyond one's reach : ~의 능력을 넘어선, 닿지 않는.

10. 나는 **그녀의 정체를 보았다**.

I saw her for what she was.

* see A for what A is : A의 정체를 파악하다, 본모습을 보다.

제87일차

먼저 우리말을 읽고 영어표현을 생각해보세요.

1. 나는 좀더 **의미심장한 질문**들을 너에게 하려고 한다.
   I am gonna ask you more **telling questions**.
   * telling question : 의미심장한 것을 드러내거나 제기하는 질문.

2. 큰돈을 벌려면, **사업에 초기멤버로 참여하라**.
   To make a fortune, **get in on the ground floor**.
   * get in on the ground floor : 사업, 프로젝트에 최초부터 참여하다.

3. 새로운 관리자가 온 이후, 상황이 **평상시**와는 전혀 달라졌다.
   With the new manager, it was far from **business as usual**.
   * business as usual : 통상적인, 평상시와 다름없는 상태.

4. 당신은 **상황을 잘 통제하고** 있다.
   You are **on top of things**.
   * on top of things : 상황이나 사안을 잘 통제하다.

5. **만약을 위해서** 내 전화번호를 알려줄께.

Let me give you my number **just in case.**

* just in case : 만약을 위해서.

6. 모든 이들이 당신이 그 합의**에 대해 승인하기**를 요구한다.

Everyone needs you to **sign off on** the agreement.

*sign off on : ~을 승인하다.

7. 그는 하는일이 없는 **아무짝에도 쓸모없는** 남편이다.

He is a **good-for-nothing** husband having no job.

* good-for-nothing : 게으르고 쓸모없는.

8. 나는 **소매를 걷어부치고** 일을 시작했다.

I **rolled up my sleeves** and got to work.

* roll up one's sleeves : 열심히 일할 준비를 하다.

9. 그는 **한줌의** 약을 가지고 그 집으로 차를 달렸다.

He drove to the house with **a fistful of** medicine.

* a fistful of : 한줌의,한웅큼의.

10. 우리는 계단을 오를때 **숨을 헐떡거렸다.**

We were **huffing and puffing** when climbing up the stairs.

* huff and puff : 숨을 헐떡거리다.

제88일차

먼저 우리말을 읽고 영어표현을 생각해보세요.

1. 대부분의 여자들은 **그녀의 입장이라면** 울음을 터트렸을것이다.
Most women **in her place** would have burst into tears.
* in one's place : ~와 같은 입장인.

2. 수많은 지역사회들이 근근히 **버티고** 있다.
Countless communities are barely **hanging on.**
* hang on : 버티다,견디다.

3. 그의 죽음은 **업무 연관성이 있는** 것으로 판결되었다.
His death was ruled to be **in the line of duty.**
* in the line of duty : 업무상의, 업무와 연관된

4. 절대적으로 그것에 대해 **확신해.**
Absolutely **positive** about that.
* positive : 확신하는.

5. 그렇게 중요한 어떤일**을 그에게 맡기는** 것이 현명한 일일까?

Is it wise to **trust** him **with** something so important?

* trust A with B : A에게 B를 믿고 맡기다.

6. 친구들이 함께 쇼핑하게 하는 방법**을 알아내어라**.

Try to **figure out** a way for friends to shop together.

* figure out : 알아내다, 해결하다.

7. 그 드레스는 공급업체가 저지른 **큰 실수**이다.

The dress was a major **screw-up** by the vendor.

* screw-up : 큰 실수, 잘못처리된 일.

8. 우리는 너**를 억지로 떠맡게** 되었지.

We got **landed with** you.

* landed with : 골칫거리인 ~를 억지로 떠맡다.

9. 머물기**를 원하지** 않는다면 떠나는게 가장 좋지.

Best be off, unless you**'d rather** stay.

* would rather : ~하기를 선호하다.

10. **놀라워라**!

Bless my soul!

* bless my soul : 놀라움의 표현.

제89일차

먼저 우리말을 읽고 영어표현을 생각해보세요.

1. 그들은 몇달의 긴 **노력끝에** 합의를 **도출했다**.

They took several months to **hammer out** a deal.

* hammer out : 긴 토의나 논란끝에 합의, 방법을 도출하다.

2. 그는 일들을 단계적으로 처리하는 것을 **매우 선호한다**.

He is **all for** taking things step by step.

* all for : ~에 대해 대찬성인, 매우 선호하는

3. 대통령의 연설은 그해의 **기조를 정하였다**.

The speech of the president **set the tone** for the year.

* set the tone : 분위기를 정하다, 기조를 정하다.

4. 이른 성공은 **댓가를 동반한다**.

Early success **comes at a price**.

* come at a price : 댓가를 치르다.

5. 그 트럭들은 음식, 약품, 물**을 대량으로 싣고있다**.

The trucks are **loaded with** food, medicine, and water.

* loaded with : 많은 ~을 실은.

6. 민간인들은 지상침공**이 시작되기 전에** 떠나야 한다.

Civilians should leave, **in the run-up to** a ground invasion.

*in the run-up to : 중요한 ~ 사건 직전의 기간에.

7. 나는 타투를 허락하지 않는 늙은 **고루한 사람**이 아니다.

I am not an old **fuddy-duddy** not approving of tattoos.

* fuddy-duddy : 구식의, 고루한 사람.

8. 그들은 이제 안전하게 당국**의 보호아래**에 있다.

They are now safely **in the hands of** the authorities.

* in the hands of : ~의 보호, 통제, 소유하의.

9. 그의 작품을 카피캣이라고 부르는 것은 **정도가 지나쳤다**.

It's **over the top** to call his work a copycat.

* over the top : 정도가 지나친, 심한.

10. 그 계획은 **현장의** 복잡성을 고려하지 못했다.

The plan missed the complexities **on the ground**.

* on the ground : 현장의

제90일차

먼저 우리말을 읽고 영어표현을 생각해보세요.

1. 우리는 서로에게 **맞는 짝**을 찾고싶다.

We both want to find the **right fit.**

* right fit : 적임자,어울리는 짝.

2. 너의 **결정**에 달렸다.

It's your **call.**

* call : 결정

3. 당신 **너무 잘했어.**

You **nailed it.**

* nail it : 탁월하게 잘하다

4. 나는 내자신 무척 **흥분된다.**

I am pretty **psyched** myself.

* psyched : 흥분되는, 기대되는.

5. 그는 **더할나위 없이** 똑똑**하다**.

He is **as** clever **as they come**.

* as A as they come : 최고로, 더할나위 없이 A하다.

6. 그것은 **네가 알고 있는 그것**에 대한 것이다.

It's about **you-know-what**.

* you-know-what : 네가 알고 있는 그것.

7. 팝스타가 된다는 꿈은 **실현 가능성이 희박한 것**이다.

Dream of becoming a pop star is a **pie in the sky**.

* pie in the sky : 원하기는 하나 발생할 가능성이 많지 않은것.

8. 아직도 10명이 **행방불명인** 상태다.

There are still ten people who remain **unaccounted for**.

* unaccounted for : 어찌 됬는지 모르는, 생사불명의, 행방불명의

9. 우리는 상관에게는 우리의 의견**을 듣기좋은 말로 이야기한다**.

We **sugar-coat** our opinions when we speak to our boss.

* sugar-coat : ~을 사탕발림을 하다, 좋게 보이게 만들다.

10. 정부는 다수의견을 지지하는 방향으로 **변화하였다**.

The government **swung** in favor of the majority opinion.

* swing : 다른쪽으로 바뀌다.

제91일차

먼저 우리말을 읽고 영어표현을 생각해보세요.

1. 나는 **그 일이 일어날지 알지** 못했다.

I did not **see that coming.**

* see A coming : A가 일어날지 예상하다.

2. 그녀는 프로 선수들**과 동등한 실력을 가지고** 있다.

She is **on a par with** professional players.

* on a par with : ~와 동등한 위치의

3. 나는 싸움이 벌어졌을때 **우연히** 현장에 있**었다.**

I **happened to** be there when the fight broke out.

* happen to : 우연히 ~ 하다.

4. 진보**를 가로막는** 어떠한 것들도 제거하라.

Eliminate anything that **stands in the way of** progress.

* stand in the way of : ~을 막다.

5. 네가 휴가중에 너**의 일을 대신하게** 되어 기뻐.

I'm happy to **cover for** you while you're on vacation.

* cover for : ~의 부재중 그의 일을 대신하다.

6. 어떤이들은 해외여행시 **남의 주의를 끌지 않는다**.

Some **keep a low profile** when traveling abroad.

* keep a low profile : 남의 주의를 끌지 않도록 하다.

7. 서구의 모든 문화사가 **재판대에 올라**있다.

The whole of Western cultural history is **in the dock**.

* in the dock : 법정에 선, 재판을 받고 있는.

8. 그의 수집품들은 **부정하게 취득된** 이득들이라는 딱지가 붙었다.

His collections have been labeled as **ill-gotten** gains.

* ill-gotten : 부정하게 취득된

9. 너는 비용을 절감하려는 **작은 시도들**을 해보기는 했니?

Did you ever take **baby steps** to save cost?

* baby step : 작은 시도, 시험적인 행동

10. 그는 평화를 가져오는데 **중요한** 역할을 하였다.

He was **instrumental** in bringing peace.

*instrumental : 중요한 역할을 하는, 도움을 주는.

제92일차

먼저 우리말을 읽고 영어표현을 생각해보세요.

1. 모든것들이 비밀유지가 되어야 함**은 말할필요도 없이 명백하다.**

It goes without saying that everything is confidential.

* It goes without saying that : ~은 말할필요도 없이 명백하다.

2. 우리는 다음 기차가 도착할때까지 역**에서 시간을 보냈다.**

We **hung around** the station until the next train arrived.

* hang around : ~에서 아무일도 않고 시간을 보내다, 기다리다.

3. 파퓰리스트들이 **더욱더 인기를 얻어가고** 있다.

Populists have been **gaining ground.**

* gain ground : 더욱 인기를 얻거나 받아들여지다.

4. 양측은 그 분쟁**으로부터 이득을 얻어**왔다.

Both sides have **benefited from** the conflict.

* benefit from : ~으로부터 이득, 혜택을 얻다.

5. 그는 우리가 어려울때 기꺼이 **도움의 손길을 내밀려**했다.

He was willing to **give** us **a helping hand** in time of need.

* give A a helping hand : A를 도와주다, 도움의 손길을 뻗치다.

6. 많은 사람들은 아직도 평화적인 공존**을 위해 애쓰고** 있다.

Many are still **striving for** peaceful **coexistence**.

* strive for : ~을 이루기 위해 매우 노력하다, 애쓰다.

7. 그녀의 목소리는 그녀의 진짜 느낌**을 노출시켰다**.

Her voice **betrayed** her true feelings.

* betray : 의도치 않게 보여주다.

8. 그의 아버지는 런던에서 불안정한 **생계를 유지하고 있었다**.

His father **earned an** insecure **living** in London.

* earn a living : 생계를 위해 돈을 벌다.

9. 그들중 누구도 사업**에** 재능이 있거나 **하고 싶어하지** 않았다.

None of them was gifted for business or **drawn to** it.

* drawn to : ~에 끌리는.

10. 우리는 **어려운 시기를 지났고**, 앞으로는 분명히 잘풀릴거야.

We are **over the hump**, and things should go smoothly.

* over the hump : 어려운 시기를 지나다, 고비를 넘기다.

제93일차

먼저 우리말을 읽고 영어표현을 생각해보세요.

1. 후회**에 사로잡혀** 있지 말아라

Don't **hang onto** regret.

* hang onto : ~를 꽉 붙잡다, 유지하다, 갖고 있다.

2. 그는 갱들 앞에서 **체면을 구기고** 싶지 않았다.

He didn't want to **lose face** in front of the gang.

* lose face : 체면을 구기다.

3. 바보들은 모두 그것을 사**고 싶어서 미친다**.

Idiots are all **falling over themselves to** buy it.

* fall over oneself to : ~을 무척 하고 싶어하다.

4. **출발하기** 전에 뭐라도 좀 줄까?

Can I get you something before you **hit the road**?

* hit the road : 출발하다, 길을나서다.

5. 그것이 왜 실패했는지에 대한 자세한 사항은 종종 **얼버무려진다**.

The details of why it failed are often **glossed over**.

* gloss over : ~을 얼버무리고 넘어가다.

6. 이책은 학자들**을 위해 쓰여지지** 않았다.

This book is not **addressed to** academics.

* address A to B : B에게 A를 말하다, 쓰다.

7. 당신의 도움에 대한 감사표시는 **아무리 해도 부족하다**.

There is no way of acknowledging your help.

* There is no way of : ~하는 것은 불가능하다.

8. 이스라엘에 대한 비판은 반유대주의로 **치부된다**.

Criticism of Israel is **brushed aside** as anti-Semitism.

* brush aside : ~를 무시하다, 중요치 않게 취급하다.

9. 회의는 점심시간**과 겹칠** 수 있다.

The meeting can **overlap with** your lunchtime.

* overlap with : ~과 겹치다.

10. 그는 중산층 사람들의 **총애를 받는 사람**이 되었다.

He became the **darling** of the middle class.

* darling : 매우 사랑받는 사람, 총애를 받는 사람.

제94일차

먼저 우리말을 읽고 영어표현을 생각해보세요.

1. 그 손실은 노름꾼으로 하여금 **무모한 행동을 하도록** 유도했다.

The loss nudged the player into **going on tilt**.

* go on tilt : 무모하게, 무분별하게 행동하다.

2. 그는 **나에게** 있을 곳을 마련할때까지 **거처를 제공해주고** 있다.

He has been **putting** me **up** until I can find a place.

* put A up : A에게 거처를 제공해주다.

3. 원치않은 임신은 그녀**에게 큰 타격을 주었다**.

The unwanted pregnancy **did for** her.

* do for : ~에게 매우 큰 피해를 입히다.

4. 그 게임의 심리는 **흥미있는 것을 드러낸다**.

The psychology of the game is **revealing**.

* revealing : 알지못했던 흥미로운 것을 보여주는.

5. **그만 됐어**, 그쳐!

I've had enough, stop it!

* have had enough : 상황에 대해 피곤하거나 화나서 그쳤으면 함.

6. 당신은 정말로 **나를 큰일에서 구해주었어요**.

You really **saved my ass**.

* save one's ass : 나쁜일이 일어날뻔 한것에서 구해주다.

7. 그는 **쉽게** 게임에서 승리했다.

He won the game **hands down**.

* hands down : 손쉽게.

8. 그녀는 **많은 책임을 어깨에 지고있다**.

She's **got a lot on her shoulders**.

* get a lot on one's shoulders : 많은 짐, 책임을 지다.

9. 그는 주위에서 일어나고 있는 일**을 감지하지 못하는** 것처럼 보인다.

He seems **oblivious of** what's happening around him.

* oblivious of : ~을 감지하지 못하는, 의식하지 못하는.

10. 나는 **하룻밤동안 그것에 대해 생각을 해보았다**.

I **slept on it**.

* sleep on it : 그것에 대해 하룻밤 생각해보다.

제95일차

먼저 우리말을 읽고 영어표현을 생각해보세요.

1. 그 선택지는 **고려의 대상이 아니다.**

That option is **off the table.**

* off the table : 고려의 대상이 아닌

2. 그것은 매우 **밀접하게 연결된** 공동체이다.

It is a very **close-knit** community.

* close-knit : 밀접하게 연결된, 굳게 뭉친.

3. 우리는 **미지의** 영역에 와있다.

We are in **uncharted** territory.

* uncharted : 미지의, 이전에 경험해 보지 못한, 생소한

4. 나는 네 **스타일**이 좋아.

I like **how** you **roll.**

* how A roll : A의 행동방식, 사고방식, 스타일

5. 비참함이 나**에게서 완전히 빠져나갔다**.

Misery has been completely **vacuumed out of** me.

* vacuum A out of B : B에서 A를 완전히 제거하다.

6. 지휘관들은 공세를 취하는 것에 **고무되어** 있다.

Commanders are **buoyed** to be on the offensive.

* buoyed : 고무된, 들뜬.

7. **어리석은** 짓을 하지 말아라.

Don't be **absurd**.

* absurd : 어리석은, 바보같은

8. 그 나라의 국토는 대부분 **주인이 바뀌었다**.

The land of the country has mostly **changed hands**.

* change hands : 주인이 바뀌다.

9. 노련한 CEO라면 **당신의 일중** 어떤 것들**을 덜어줄** 수 있을 것이다.

A seasoned CEO could **take** some things **off your plate**.

* take A off one's plate : ~의 일에서 A를 덜다.

10. 그 프로젝트**에 몸을 던지자**.

Let's **dive into** the project.

* dive into : ~에 주저없이 열성적으로 뛰어들다.

제96일차

먼저 우리말을 읽고 영어표현을 생각해보세요.

1. 그들은 회의에서 그 아이디어를 **선전하였다**.

They **talked up** the idea in the meeting.

* talk up : ~을 실제보다 좋게 묘사하다, 선전, 홍보하다.

2. 우크라이나 포병대는 러시아 부대들**을 지치게 만들고** 있었다.

Ukrainian artillery was **wearing down** Russian units.

* wear down : ~을 지치게 만들다.

3. 힘들지만 **잘 견뎌봐**.

You just **hang in there**.

* hang in there : 어려운 상황에서 버티다, 견디다.

4. 그의 부하들은 그 마을에 전략적인 **거점을 확보하였다**.

His men **gained a** strategic **foothold** in the village.

* gain a foothold : 거점을 확보하다.

5. 증대하는 생활비가 **우려를 낳을** 것으로 예상된다.

The rising cost of living is expected to **raise concern**.

* raise concern : 우려를 낳다, 제기하다.

6. 그것은 그 도시를 좀더 정답게 만드려는 청사진**에 부응한다**.

It **plays into** a blueprint to make the city more friendly.

* play into : ~ 생각이나 방안에 부응하여 행동하다.

7. 그것은 전쟁이 **질질끌면서** 지원이 줄어들고 있다는 신호이다.

It is a sign of eroding support as the war **drags on**.

* drag on : 질질끌다.

8. 대통령은 **예상치 않은 질문에 놀랐다**.

The president was **caught off guard** by the question.

* catch A off guard : A가 예상치 못한 것으로 놀라게 하다.

9. 당신을 **늙게하는** 것은 그일이다.

It's the job that **ages** you.

* age : 늙게하다.

10. 멋지게 해낼 일을 하기위해 자신**을 비워놓아라**.

Just **free** you **up** to do what you do great.

* free A up : A를 가용하도록 만들다, 비우다.

제97일차

먼저 우리말을 읽고 영어표현을 생각해보세요.

1. 그녀는 **나에게 웃음을 터지게** 한다.

She **cracks** me **up**.

* crack up : ~를 웃음을 터지게 하다.

2. 그는 그일에 **적임자가** 아니었다.

He wasn't a **good fit** for the job.

* good fit : 적임자, 어울리는 짝.

3. 나는 **혼자만의 시간**이 좀 필요하다고 느낀다.

I feel like I need a little **me time**.

* me time : 나를 위한 시간, 혼자만의 시간.

4. 나는 남편을 떠난후에 친구**들과 살기 시작했다**.

I **moved in with** friends after I left my husband.

* move in with : ~와 같이 살기 시작하다.

5. 공부를 잘하는 사람이 반드시 **현실적으로 똑똑한** 것은 아니다.

Book-smart individual is not necessarily **street-smart.**

* street-smart : 현실적인 지식, 경험, 대처능력이 풍부한.

6. 모든 참가자들은 **한데 모아** 감옥에 보내졌다.

All those participating were **rounded up** and jailed.

* round up : ~을 한데 모으다.

7. 우리가 언젠가 만나리라고는 전혀 **생각하지** 못했다.

It never **occurred to** me that we would meet someday.

* A occur to B : B에게 A생각이 나다.

8. 나는 **더 좋은** 제안**을 제시했다.**

I **upped** my offer.

* up : 양을 늘이다, 수준을 높이다.

9. 그는 사이공**을 빠져나오는** 마지막 헬리콥터 같았다.

He was like the last helicopter **pulling out of** Saigon.

* pull out of : ~에서 빠져나오다, 손을떼다.

10. **물지 않을께, 걱정마.**

I won't bite.

* I won't bite : 나를 무서워할 필요없다.

제98일차

먼저 우리말을 읽고 영어표현을 생각해보세요.

1. 사람들은 관습**을 존중하여** 증오를 내려놓았다.

People dropped animosity **in deference to** the customs.

* in deference to : ~을 존중하여.

2. 우리 모두는 더 큰 비극이 **가까이 왔다는** 것을 알고 있었다.

We all knew that a larger tragedy was **at hand**.

* at hand : 시간 또는 공간적으로 가까이 있는.

3. 나는 다음주에 **너무 바쁘다**.

I am so **slammed** next week.

* slammed : 매우 바쁜.

4. 여성들이 정상에 올라 **유리천장을 부수고 있다**.

Women are rising to the top and **crashing the glass ceiling**.

* crash the glass ceiling : 정상으로의 숨은 벽과 장애를 돌파하다.

5. 또하나의 **오래됬지만 좋은것**이 여기에 있어서 좋아.

Love that there's another **oldie but goodie** here.

* oldie but goodie : 오래됬지만 좋은것.

6. 나는 **한아름의** 꽃들을 안고 그녀를 방문했다.

I visited her **with an armful of** flowers.

* an armful of : 한아름의.

7. 그팀은 **너무 잘했다**.

The team was **on fire**.

* on fire : 너무 잘하다.

8. 그는 내가 바닥에서 **잠을 설치고** 있는것을 발견하곤 했다.

He would find me **sleeping fitfully** on the floor.

* sleep fitfully : 자다깨다 하다, 잠을 설치다.

9. 나는 그기간 동안 30파운드 **정도 몸무게가 줄었다**.

I **lost** something like thirty pounds during that time.

* lose : 몸무게가 ~만큼 빠지다.

10. 상황이 얼마간 **나아지기** 시작했다.

Things started to **look up** somewhat.

* look up : 나아지다.

제99일차

먼저 우리말을 읽고 영어표현을 생각해보세요.

1. 우리는 **영원히** 갈라섰다.

   We have broken up **for good.**

   * for good : 영원히.

2. **천천히!**

   Hold your horses.

   * hold one's horses : 천천히, 기다려, 진정해, 참아.

3. 그의 차림새는 **최소한으로 말하더라도** 이상했다.

   His outfit was strange, **to say the least.**

   * to say the least : 적어도, 최소한으로 말해도.

4. 나는 결혼에서 **탈출하는** 과정에서 너무나 힘들었다.

   I was so troubled from **bailing out** of my marriage.

   * bail out : 원치 않은 상황으로부터 탈출하다.

5. 그는 어려움속에서 **작은 시도들**을 해보도록 허락했다.

He allowed me to take **baby steps** under the difficulties.

* baby step : 작은 규모의 시도,행동.

6. 나는 이 부근에서 완전히 **길을 잃었다**.

I am all **turned around** here.

* turned around : 길을 잃다.

7. 우리는 **24시간 동안** 협상을 관리하고 있다.

We are managing the deal **around the clock**.

* around the clock : 24시간 동안, 쉬지않고 계속.

8. 불안한 휴전상태가 **장애에 부딪힌** 것으로 보였다.

The shaky truce appeared to **hit a snag**.

* hit a snag : 장애, 어려움에 부딪히다.

9. 30명의 죄수들**과 교환하여**10명의 인질들이 풀려났다.

10 hostages were released **in exchange for** 30 prisoners.

* in exchange for : ~과 교환하여.

10. 내가 뭔가 **도가 지나쳤다**면 사과합니다.

I apologize if I **overstepped** in some way.

* overstep : 도가 지나치게 행동하다.

제100일차

먼저 우리말을 읽고 영어표현을 생각해보세요.

1. 나를 **놓아줘**.

Let go of me.

* let go of : ~를 놓아주다, 풀어주다.

2. 내 마누라는 너무나 예리해서 아무것도 그녀**를 피해 지나갈** 수 없다.

My wife is so sharp that anything can't **get past** her.

* get past : ~가 모르고, 알아차리지 못하고 지나가다.

3. 그녀는 암**이** 재발**하지 않게 막기** 위해서 약이 필요하다.

She needs medicine to **keep** the cancer **from** coming back.

* **keep A from B** :A가 B하지 못하도록 막다.

4. 커피한잔이나 **간단하게 뭐좀 먹을**래?

Want a cup of coffee or **a bite** to eat?

* a bite : 한입 먹을것, 조그만 식사.

5. **명예롭게 처신하는 것**은 나를 지치게 한다.

Taking the high road is exhausting.

* take the high road : 도덕적이고 명예롭게 처신,대응하다.

6. 나는 오늘아침에 **큰 실수를 했다**.

I **screwed up** this morning.

* screw up : 크게 실수하거나 바보같은 행동을 하다.

7. 나는 당신**에게 아첨하려**고 하고 있지 않다.

I'm not trying to **brown-nose** you.

* brown-nose : 아첨하다.

8. 나는 당신과 꼭 닮은 사람**을** 전혀 **만나본** 적이 없다.

I've never **run across** anyone quite like you.

* run across : 마주치다, 우연히 만나다.

9. **성급하게 굴지**마.

Don't **jump the gun**.

* jump the gun : 성급하게 굴다.

10. 나는 **승부수**를 던졌다.

I made my **winning move**.

* winning move : 승부수.

관련 YouTube 채널소개 : Omnibus English

YouTube   Omnibus English

고급 영어표현을 엄선하여 반복학습하는 채널입니다.
그저 시험을 잘보기 위한 영어가 아닌, 진짜 영어를 배우고, 잘 사용하고 싶은 사람이라면, 그냥 지나쳐서는 안될 표현들을 모아 놓았습니다. 하나하나 듣고 따라하고 머릿속에 넣어가다 보면, 영어의 향기를 느끼며 진정한 영어를 구사하고 있는 자신을 만나게 될 것입니다. 영어 원서나 신문을 보실때 이전에는 이해하지 못했던 많은 표현들에 이미 익숙해져 있음을 알게될것입니다. 또한 누구를 만나더라도 눈치보지 않고 자신있게 자신만의 영어를 할 수 있게 될것입니다.

이 책에 개재된 1,000개의 문장들은 본 채널의 '영어 쫌 한다면 알아야 할 표현들' 시리즈 영상들중 1편부터 12편까지에 포함된 것들을 모두 순서대로 책으로 엮었습니다.